Sobre a liberdade

Dados Internacionais de Catalogação na Publicação (CIP)
(Câmara Brasileira do Livro, SP, Brasil)

Mill, John Stuart, 1806-1873
Sobre a liberdade / John Stuart Mill ; tradução e prefácio de Alberto da Rocha Barros. – Petrópolis, RJ : Vozes, 2019. – (Vozes de Bolso)

Título original : On liberty
ISBN 978-85-326-6044-2

1. Liberdade I. Barros, Alberto da Rocha. II. Título. III. Série.

19-23235 CDD-323.44

Índices para catálogo sistemático:
1. Liberdade : Ciência política 323.44

Cibele Maria Dias – Bibliotecária – CRB-8/9427

John Stuart Mill

Sobre a liberdade

Tradução e prefácio de Alberto da Rocha Barros

Vozes de Bolso

Título original em inglês: On Liberty

Rua Frei Luís, 100
25689-900 Petrópolis, RJ
www.vozes.com.br
Brasil

Diagramação: Sheilandre Desenv. Gráfico
Revisão gráfica: Fernando Sergio Olivetti da Rocha
Capa: visiva.com.br
Arte-finalização de capa: Ygor Moretti
Ilustração de capa: © njron | Depositphotos

ISBN 978-85-326-6044-2

Editado conforme o novo acordo ortográfico.

Este livro foi composto e impresso pela Editora Vozes Ltda.

Sumário

Prefácio da tradução

No momento em que os anglo-saxões proclamam ao mundo que a intenção de sustentar a liberdade contra as formas despóticas de domínio do próprio povo, e dos povos estrangeiros, praticadas pelos seus inimigos, é o que os conduz na guerra atual, é oportuno conhecer o que o pensamento britânico, por um dos seus mais nobres, mais puros, mais vigorosos, mais cultos representantes, tem por liberdade. A América, por diversos modos, colocou-se, toda, ao lado dessa reivindicação de liberdade. Fala à alma, pois, de brasileiros, dos americanos do Atlântico Sul, essa defesa entusiástica, solidamente desenvolvida, da liberdade de pensamento e discussão, que se oferece aqui aos leitores de língua portuguesa.

John Stuart Mill, a palavra que o leitor vai ouvir, é um magnífico expoente do espírito inglês. Recordemos grandes traços deste.

O empirismo, cuja ação subterrânea se manifestara, para o fim da Idade Média, no primeiro Bacon – em Rogério, surgiu, poderoso, à flor do solo, com Francisco Bacon. Francisco Bacon era a primeira tradução, em linguagem filosófica, do movimento experimentalista que renovou a inteligência humana nestes últimos séculos. A Inglaterra, de cuja grande época elisabetiana, de expansão material a condicionar a florescência de uma cultura, repassada de espírito prático, foi ele uma das mais altas e mais fiéis expressões, reconheceu na dele a sua própria voz ampliada. E o pensamento inglês continuou a fluir, sob a inspiração vigorosa de Bacon, estreitamente ligado, na maior parte dos seus vultos, à pedra de toque da experiência e da ação, procurando, na filosofia, na ciência, na ética, na especulação social-política, não se deixar prender por miragens do pensamento puro – metafísico-teológico.

Stuart Mill foi um dos núcleos de cristalização desse pensamento. O grande método dos empiristas era a indução. Stuart Mill foi o lógico, por excelência, da indução, a respeito da qual o seu trabalho já teve quem o comparasse ao de Aristóteles no campo do raciocínio dedutivo. Por outro lado, o espírito positivo e prático dos ingleses, nutridor do empirismo, e pelo empirismo nutrido, procurou construir uma ética sem céu nem inferno, em que a poesia e a imaginação cedessem ao raciocínio e à realidade. E o movimento utilitarista também teve em Mill um condensador.

Certamente, Mill foi superado por novas correntes, nas quais representou um papel básico a ideia de evolução, nas formas em que a focalizaram, de um lado, em biologia, o darwinismo, de outro, em filosofia, a dialética hegeliana, tendo-lhe esta última infundido uma amplitude e uma formulação superiores. E essa influência repercutiu tanto na lógica como na ética, como ainda, de outra parte, na sociologia e na psicologia. Mill, contudo, não perdeu direito a interessar profundamente o pensamento contemporâneo. Já porque, se, em conjunto, muito se invalidou o seu sistema, as verdades esparsas, entretanto, continuam numerosas e profícuas, já porque esse utilitarista foi um altíssimo espécime humano. Referindo a data da sua morte, dele disse um dos historiadores clássicos da filosofia moderna que nesse dia se extinguira "um dos espíritos mais amplos, mais leais e mais nobres do nosso século, um dos que podemos colocar ao lado dos grandes espíritos do passado. A sua vida, tal como no-la descreve, é uma fonte de ensinamentos para todos os que aspiram um ideal, e os seus escritos derramam uma luz nova sobre alguns dos objetos mais importantes do pensamento humano". E esse historiador põe o acento sobre "o equilíbrio excepcional e a universalidade espantosa que distinguem o pensamento de Stuart Mill". O conhecimento de um tal espírito, ainda tão próximo de nós, é interessante por si mesmo.

Entretanto, ainda mais que sob os aspectos referidos, Stuart Mill nos interessa pelo pensamento político, de que este ensaio é amostra. Se o empirismo inglês, ligando-se por aí a Descartes, reivindicou para os pensadores a liberdade de investigação pessoal contra a autoridade dos antigos e da escola, ele veio encontrar-se, na arena política, com análogos resultados do desenvolvimento social da Inglaterra. A Inglaterra da "magna carta", do 'livre-exame" protestante, dos influxos da Revolução Industrial, apresentava uma marcha progressiva no caminho das franquias públicas. Stuart Mill incorporou no seu pensamento as tendências plenamente desenvolvidas, e as que então brotavam, da vida social inglesa. E, no cadinho do seu talento e da sua nobreza, elas se viram purificadas de ilogismos e preconceitos afetivos. Esse Stuart Mill plenamente consequente é o Stuart Mill da *Sujeição das mulheres* e do ensaio *Sobre a liberdade.* Esse Stuart Mill patenteia o vigor intenso que a aspiração de liberdade pode assumir naquela Inglaterra que mais impressiona a alma dos não britânicos: a Inglaterra das afamadas "liberdades inglesas".

A defesa que Mill faz da liberdade leva às mais amplas conclusões. Sem dúvida, algumas observações críticas se podem fazer ao texto que aí está adiante. As teses de Mill são antes preceitos de higiene para a vida social em perfeita saúde do que terapêutica para crises patológicas. Mas entendamo-nos sobre isso.

Stuart Mill parece reconhecer - é a lição da história - que, em certos estágios da evolução social, a autoridade predomina, de certo modo necessário, sobre a liberdade. São, porém, estágios transitórios em que uma das duas: ou a autoridade sente que a velha cristalização está a pique de se romper, e ela se reforça para o impedir; ou a autoridade serve de veículo à nova cristalização que surgiu, e se reforça contra o retrocesso. No primeiro caso, ela se volta para o passado, no segundo, ela auxilia o futuro. Ali, ela se situa antes de um grande avanço, a que obsta; aqui, ela se situa depois desse avanço, que solidifica. Esses avanços não são quotidianos: são pontos cruciais da história humana, por longo tempo preparados, de alcance secular. Os sofistas inimigos da liberdade os veem por toda a parte. Mas eles são raros, e o instinto de civilização, vamos dizer assim, sabe reconhecê-los.

Eles são raros e, sobretudo, os autoritarismos consequentes são transitórios. Transitórios, quando passadistas, porque o progresso, em regra, acaba por fazer triunfantes seus direitos. Transitórios, quando a serviço do futuro, porque, como Cristo, eles não vêm, então, negar a velha lei - a lei da liberdade, mas antes criar as condições da sua realização melhor, da sua realização mais perfeita. A organização cada vez mais racional dos negócios humanos - esperamo-lo nesta altura da civilização - irá suprimindo, cada vez mais, os recursos coercitivos de progresso, permitindo aos períodos normais de ampla liberdade uma extensão cada vez maior.

Nas crises patológicas da história humana, a liberdade pode restringir-se, como se restringe a do doente, antes, ao tempo e depois à operação. Na saúde, porém, a liberdade - eis o que se colhe da sugestiva demonstração de Stuart Mill - é imprescindível como condição primária da razoabilidade, da perfectividade, da humanidade da vida social.

Essa guerra atual, inevitável por fatores que, há muito, a vinham engendrando, como engendraram a de 1914, foi precipitada por nações em que a autoridade sobrepujou a liberdade para o reforçamento ou a revivescência do passado. E o pior: em que o sobrepujamento da liberdade foi teorizado como permanente e definitivo, e o autoritarismo apresentado como solução para todo o sempre. A autoridade hipertrofiada transbordou das fronteiras e fez a sua aparição, sob a forma de guerra agressiva, em todos os países vizinhos das grandes potências autoritárias, acabando por inflamar todo o globo. A guerra, sem dúvida, não é um privilégio do autoritarismo, que, se lhe é uma causa instrumental, não lhe é, entretanto, a causa profunda. Mas ele a facilita, a apressa, e a torna mais impudica. E, assim, o problema da liberdade se acentuou com esta guerra. Vê-se, pois, quão oportuno é conhecer o pensamento inglês, o melhor pensamento inglês, sobre a liberdade!

Com todos os seus defeitos, que são lembrados no ensaio de Stuart Mill, as liberdades inglesas, possibilitadas por fatores peculiares à época, protegeram, efetivamente, concretamente, a eclosão de algumas das doutrinas mais verdadeiras e mais combatidas dos tempos modernos. A gratidão por isso dos elementos progressistas da humanidade não decrescerá com os anos, ao contrário. Se não poderão esquecer, na passagem dos tempos, o amparo dessas liberdades aos progressos do pensamento social no século XIX, eles recordarão, dos dias que correm, o valor simbólico da hospitalidade concedida ao renovador e propulsor da ciência psicológica no século XX, ao proscrito de Hitler, Sigmund Freud.

A Inglaterra está longe de ser a *Civitas Dei.* Mas, "cidade humana", não serão só a sua riqueza e a sua força, e todos os consequentes egoísticos da riqueza e da força, nem será só o seu Império, construído como se constroem todos os impérios, que a lembrarão no futuro. Mas também a sua liberdade: a que esteve sempre na base do seu pensamento filosófico e científico - do de Bacon no século XVII, do de Darwin no século XIX - e a que, muitas vezes, inspirou a sua prática política, para com os nacionais e para com os estrangeiros, permitindo vida e ação a doutrinas e doutrinadores que os tempos vão erigindo em pedras angulares da civilização que evolve. Essa Inglaterra da liberdade, que jamais existiu sozinha, mas sempre teve ante si, na constante presença dos contrários, uma Inglaterra de privilégios, é que aparece neste livro. Stuart Mill e o seu ensaio a representam dignamente!

Janeiro de 1942

Alberto da Rocha Barros

John Stuart Mill

JOHN STUART MILL, que Harald Hoffding declara ter sido, "cerca de 1840 e 1850, o maior pensador filosófico do século", nasceu em Londres a 20 de maio de 1806, primeiro filho de James Mill. Este era o psicólogo da escola de Bentham, historiador da Índia, pensador político de grande influência entre os *whigs,* economista discípulo de Ricardo e precursor de Marx. James Mill tomou pessoalmente o encargo da educação de John, submetendo-o a um regime de trabalho intensíssimo e excepcionalmente precoce a que só uma criança de extraordinários dotes poderia resistir.

Aos três anos, John aprendeu o alfabeto grego e longas listas de vocábulos dessa língua, e aos oito já lera, nela, as *Fábulas* de Esopo, a *Anábasis* de Xenofonte, Heródoto inteiro, e ainda Luciano, Diógenes Laércio, Isócrates e seis diálogos de Platão. Na mesma idade de oito anos, já havia realizado também extensas leituras de história em inglês, e iniciou o latim, Euclides, álgebra, e o ensino dos seus irmãos mais novos. Aos dez anos, Platão e Demóstenes se lhe tinham tornado muito fáceis. Aos doze, entrou pela lógica escolástica, e leu, no original como de hábito, os tratados lógicos de Aristóteles. Aos treze, chegou o momento da economia política, e pôs-se a estudar com o pai Adam Smith e Ricardo. Todos esses estudos, aliás, tinham a estreita e severa colaboração paterna, sendo as leituras sempre acompanhadas de discussões dos temas com James, o qual pôs todo o seu cuidado educativo em evitar que o filho recebesse o ensino passivamente. Conseguiu, assim, prepará-lo para jamais aceitar uma opinião por autoridade.

Dos 14 aos 15 anos, na França, ao lado da língua, da geografia e dos costumes desta, Stuart Mill entregou-se à química, à botânica e a problemas de alta matemática, seguindo-se-lhes, aos 15 anos, o Direito Romano, pois se pensava em fazê-lo advogado. Mas em 1823, com 17 anos, entrou, como amanuense, na Casa da Índia, onde deveria ficar até 1858, subindo dos vencimentos anuais de 30 libras aos de 2.000 libras, e de amanuense ao mais alto cargo. No ano anterior, quando contava 16 anos, fez uma visita a Cambridge, cujos estudantes se impressionaram vivamente com o seu contato pessoal, apesar de terem o de Macaulay e Austin.

Por essa época, aprofundara estudos de Bentham, paralelamente a leituras de psicólogos ingleses e de Condillac e Helvetius, e fundara com amigos uma sociedade que, de um vocábulo tirado *dos Annals of the Parish* de Galt, denominou "utilitarista". Escrevia em várias revistas controladas por amigos de Bentham ou de seu pai. Na *Westminster Review,* órgão dos radicais, publicou os seus primeiros grandes artigos, propugnando pela liberdade de imprensa e pela extensão do direito de voto.

Em 1826, uma crise íntima violenta se abateu sobre ele, condicionada certamente pelo regime educativo extenuante a que estivera submetido. Abandonou-o o gosto de viver, a vida perdeu o sentido aos seus olhos. Dessa crise emergiu em grande parte pela mão da poesia, terreno de que vivera afastado, pois o regime educativo paterno desprezava a emoção. As poesias de Shelley e, sobretudo, as de Wordsworth restituíram-lhe o ânimo. Pareceu-lhe, então, necessário não focalizar a consciência sobre o problema da própria felicidade: "Só são felizes os que fixam o olhar sobre outra coisa que não a própria felicidade. Pergunta-te a ti mesmo se és feliz, e deixarás de sê-lo!"

Nos desvios de rumo daí surgidos – os bethamistas o tomaram por um apóstata – os historiadores franceses, Guizot, Michelet, Tocqueville, os escritos de Comte e da escola de Saint-Simon, os de Carlyle foram outros influxos determinantes. Na verdade, ele não abandonou o utilitarismo, mas orientou-se para um utilitarismo mais amplo, mais compreensivo, que os utilitaristas ortodoxos não reconheciam mais como a doutrina.

Até 1834, publicou grande número de artigos em revistas, muitos dos quais foram impressos nas *Dissertations and Discussions,* publicadas em 1859. De 1834 em diante, dedicou-se ao seu *System of Logic,* que veio a público em 1843. A influência profunda dessa obra fundamental prolongou-se por todo o século XIX e ainda chega a nós.

Em 1844, apareceram os seus *Essays on some unsettled questions in Political Economy.* Mas a sua obra capital de economia foram os *Principles of Political Economy,* publicados em 1848. Nesse livro, a questão social assume para Mill predominância sobre a questão política. E, desde então, duas tendências ocupam o seu espírito – o individualismo e o socialismo, e, nos esforços por conciliá-las, acabou no recurso de aguardar o futuro.

Em 1851, Mill casa-se com Mrs. Taylor, pouco antes enviuvada, a que o unia, desde 1831, uma profunda afeição, até o momento platônica. A ela Mill atribui uma vigorosa influência na sua obra, excluída a parte de lógica e de teoria econômica. Os seus biógrafos estão de acordo em que ela foi uma mulher de talento, mas Mill não se limita a isso e a proclama uma genialidade. Muito do influxo que Mill atribui ao mérito intelectual dela, deverá ter sua causa antes procurada dentro de Mill mesmo, na ação estimulante que a feliz expansão amorosa exerceu sobre ele.

Foi com a colaboração de Mrs. Taylor, segundo atesta, que escreveu o artigo sobre a emancipação das mulheres, de que o livro *Subjection of Women*, publicado em 1867, é um desenvolvimento. E também o ensaio *On Liberty*, que, publicado após a morte dela, é dedicado, de uma forma tocante, à sua memória.

A sua veneração por Mrs. Taylor contribuiu para o robustecimento do seu feminismo. Mill esteve ao lado de várias damas eminentes ao se fundar a primeira sociedade pelo voto feminino, que veio a se desenvolver na União Nacional das Sociedades Pró-Voto Feminino. E foi o primeiro a apresentar ao Parlamento uma petição nesse sentido.

Em 1858, no ano em que morreu a esposa e em que escreveu o ensaio sobre a liberdade, foi dissolvida a Companhia das Índias Orientais e, consequentemente, fechada a Casa da Índia, de que ele era, então, o dirigente. Tendo recusado um posto no novo conselho diretor dos negócios da Índia, foi aposentado com uma pensão anual de 1.500

libras. De então a 1865, viveu principalmente em Avinhão. São dessa época as obras sobre o *Representative Government* em que advogou a representação das minorias (1860), o *Utilitarianism* (1861), e a *Examination of Sir William Hamilton's Philosophy* (1865). Na crise americana de 1862, sustentou, ao lado de Huxley e outros, a causa do Norte contra a simpatia geral inglesa que era pelo Sul.

Em 1865, foi eleito para a Câmara dos Comuns por Westminster. De Mill deputado escreveu Gladstone: "Por essa época, eu tinha o costume de chamá-lo em conversa o santo do racionalismo... Ele era inteiramente inacessível, inabordável a todos os estímulos e a todos os motivos que, de ordinário, influenciam os parlamentares por intermédio do seu egoísmo. A sua maneira de se exprimir e de agir fazia, a esse respeito, o efeito de um sermão. De outro lado, era bem um filósofo, mas de modo nenhum um homem extravagante. Aliava, a meu ver, o senso vigoroso e o tato prático do homem de Estado com a alta independência do pensador solitário. Para se eleger, não fez cabala pessoalmente, não admitiu cabos eleitorais, e negou-se a comprometer-se com interesses locais. Na renovação da legislatura, perdeu a cadeira, não por essa conduta que não lhe obstara a primeira eleição, mas pelo seu ataque aos processos de um governador colonial, e pelas suas opiniões religiosas que viu exploradas contra si. Aliás, a sua imensa tolerância era comumente respondida pelo ódio mais implacável e, ao morrer o "santo do racionalismo", um órgão eclesiástico declarou: "A sua morte não é uma perda para ninguém, pois era um grande incrédulo, apesar de toda a sua afabilidade, e um personagem muito perigoso. Quanto mais cedo as 'luzes do pensamento' como ele forem para onde ele agora está, tanto melhor".

Cessada a sua curta atividade parlamentar, retirou-se para a sua casa de Avinhão, onde viria a morrer, e que estava sempre literalmente entulhada de livros e jornais. Lia, escrevia, jardinava, fazia investigações botânicas, colaborando frequentemente com notas no *Phytologist.* Nesse período, o piano, que tocava com brilho, foi um dos recursos da sua ventura de espírito superior. Aí completou, de 1868 a 1873, a sua *Autobiografia,* e os *Essays on Religion,* publicados postumamente.

Ao saber que o fim se aproximava, observou serenamente: "minha obra está feita".

Deixou de existir a 8 de maio de 1873.

Sobre a liberdade

Dedicatória

À querida e deplorada memória daquela que foi a inspiradora, e em parte a autora, do melhor nos meus escritos - a amiga e esposa em cujo elevado senso da verdade e do direito encontrava o meu mais forte incitamento, e cuja aprovação era a minha principal recompensa - eu dedico este volume. Como tudo que tenho escrito durante muitos anos, ele pertence tanto a ela quanto a mim. Mas a obra, como está, não recebeu suficientemente a inestimável vantagem da sua revisão, reservadas que foram algumas das partes mais importantes para um novo exame mais cuidadoso, que já agora nunca poderão sofrer. Fosse eu algo capaz de interpretar para o mundo a metade dos grandes pensamentos e dos nobres sentimentos que estão sepultados no seu túmulo, e eu seria o veículo de benefícios maiores do que os que podem provir, em qualquer tempo, do que eu consiga escrever sem a ajuda e sem a assistência da sua quase incomparável sabedoria.

O grandioso e capital princípio para o qual todos os argumentos desenvolvidos nestas páginas diretamente convergem é a importância absoluta e essencial do desenvolvimento humano na sua riquíssima diversidade.

Wilhelm Von Humboldt
(Esfera e deveres do governo)

CAPÍTULO I

Introdução

O assunto deste ensaio não é a chamada liberdade do querer, tão infortunadamente oposta à doutrina maldenominada "da necessidade filosófica"; e sim a liberdade civil ou social: a natureza e os limites do poder que a sociedade legitimamente exerça sobre o indivíduo. Uma questão raramente exposta, e quase nunca discutida, em tese, mas que influencia profundamente as controvérsias políticas da época, pela sua presença latente, e na qual talvez se reconheça a questão vital do futuro. Está tão longe de ser nova que, num certo sentido, tem dividido a humanidade desde quase as mais remotas idades. Mas no estágio de progresso em que as porções mais civilizadas da espécie entraram agora, ela se apresenta sob novas condições, e requer um tratamento diferente e mais profundo.

A luta entre a Liberdade e a Autoridade é a mais nítida característica das partes da história com que mais cedo nos familiarizamos, particularmente da história da Grécia, de Roma e da Inglaterra. Nos velhos tempos, porém, esse debate se travou entre os súditos, ou algumas classes de súditos, e o governo. Liberdade significava a proteção contra a tirania dos governantes políticos. Os governantes eram concebidos (exceto em alguns dos governos populares da Grécia) como numa posição necessariamente antagônica ao povo por eles governado. Consistiam ou numa única pessoa que governava, ou numa tribo ou casta governante, os quais derivavam a sua autoridade da herança ou da conquista, jamais a exerceram de acordo com a vontade dos governados, e cuja supremacia os homens não se aventuravam - talvez nem o desejassem - contestar, fossem quais fossem as precauções tomadas contra o seu exercício opressivo. O poder deles era encarado como necessário, mas também como altamente perigoso - como uma arma que tentariam usar não menos contra os seus súditos do que contra os inimigos externos. Para impedir que os membros mais fracos da comunidade fossem pilhados por inumeráveis abutres, fazia-se mister existisse um animal de presa mais forte que os encarregados da guarda dos primeiros. Como, porém, o rei dos abutres não seria menos inclinado a prear no rebanho que alguma das harpias menores, era indispensável manter-se numa perpétua atitude de defesa contra o seu bico e as suas garras. A finalidade, pois, dos patriotas consistia em pôr limites ao poder que ao governante se toleraria exercesse sobre a comunidade. E essa limitação era o que entendiam por liberdade. Foi tentada de duas maneiras. Primeiro, pela obtenção do reconhecimento de certas imunidades, conhecidas por liberdades ou direitos políticos, cuja infração pelo governante se considerava quebra do dever, tendo-se por justificada, então, uma resistência específica ou uma rebelião geral. Um segundo expediente, geralmente posterior, consistia no estabelecimento de freios constitucionais, pelos quais o consentimento da comunidade, ou de algum corpo que se supunha representar os interesses da mesma, se tornava uma condição necessária para alguns dos mais importantes atos do poder dominante. Ao primeiro desses modos de limitação, o poder dominante foi, na maioria dos países da Europa, mais ou menos compelido a se submeter. O mesmo não aconteceu com o segundo. E consegui-lo – ou, quando já atingido em certo grau, consegui-lo mais completamente – converteu-se, por toda a parte, no objetivo dos que amavam a liberdade. Enquanto os homens se contentassem em combater um inimigo por meio de outro, e em ser governados por um senhor, com a condição de se verem garantidos mais ou menos eficazmente contra a sua opressão, não levariam as aspirações além desse ponto.

Um tempo chegou, contudo, no progresso dos negócios humanos, em que os homens cessaram de julgar uma necessidade da natureza que seus governantes fossem um poder independente, de interesses opostos a eles. Pareceu-lhes muito melhor que os vários magistrados do Estado fossem mandatários ou delegados seus, revocáveis ao seu alvedrio. Só dessa forma, parecia, poderiam ter uma completa segurança de que os poderes governamentais não seriam objeto de abusos em sua desvantagem. Paulatinamente, essa nova aspiração de governantes eletivos e temporários se tornou a matéria proeminente dos esforços do partido popular, onde este existisse, e invalidou, numa considerável extensão, os passos preliminares para limitar o poder dos governantes. Como prosseguisse a luta por fazer o poder dirigente emanar da escolha periódica dos governados, algumas pessoas começaram a pensar que se havia dado uma importância excessiva à limitação do poder em si. *Isso* (podia parecer) constituía um recurso contra governantes cujos interesses eram habitualmente opostos aos do povo. O que se fazia, agora, necessário era que os governantes se identificassem com o povo, era que o interesse e a vontade deles fossem o interesse e a vontade da nação. A nação não carecia de se proteger contra a própria vontade. Não havia receio da tirania dela sobre si mesma. Fossem os governantes efetivamente responsáveis perante ela, prontamente removíveis por ela, e a nação poderia aceder em confiar-lhes um poder de que ela própria ditaria o uso a ser feito. O poder era o próprio poder da nação, concentrado, e numa forma conveniente ao seu exercício. Esse modo de pensar, ou melhor, talvez –, de sentir, tornou-se comum na última geração do liberalismo europeu, na seção continental do qual ainda aparentemente predomina. Aqueles que admitem algum limite ao que um governo legítimo faça (já a governos ilegítimos não é extraordinário pleitear limites, pois se quer mais que isso - que não existam) constituem brilhantes exceções entre os pensadores políticos continentais. Um tom análogo de sentimento poderia, nessa época, dominar no nosso próprio país, se as circunstâncias que, por um tempo, o encorajaram, houvessem continuado inalteradas.

Mas, em matéria de teorias políticas e filosóficas, como em matéria de pessoas, o sucesso revela defeitos e fraquezas que o insucesso poderia ter ocultado à observação. O conceito de que o povo não precisa limitar seu poder sobre si mesmo podia parecer axiomático quando o governo popular não passava de um sonho, ou de algo que se lia ter existido em algum período remoto do passado. Nem era tal noção necessariamente perturbada por aberrações temporárias como as da Revolução Francesa, as piores das quais foram obra de alguns usurpadores, e que, em todo caso, diziam respeito, não à ação permanente de instituições populares, mas a uma erupção súbita e convulsiva contra o despotismo monárquico e aristocrático. A tempo, contudo, uma república democrática chegou a ocupar uma grande porção da superfície do globo, e se fez sentir como um dos mais poderosos membros da comunidade das nações. E o governo eletivo e responsável tornou-se sujeito às observações e críticas que acompanham qualquer grande fato existente. Percebia-se agora que frases tais como *self-government* e "o poder do povo sobre si próprio" não exprimiam o verdadeiro estado de coisas. O "povo" que exerce o poder não é sempre o mesmo povo sobre quem o poder é exercido, e o falado *self-government* não é o governo de cada qual por si mesmo, mas o de cada qual por todo o resto. Ademais, a vontade do povo significa praticamente a vontade da mais numerosa e ativa *parte* do povo - a maioria, ou aqueles que logram êxito em se fazerem aceitar como a maioria. O povo, consequentemente, *pode* desejar oprimir uma parte de si mesmo, e precauções são tão necessárias contra isso quanto contra qualquer outro abuso de poder. A limitação, pois, do poder do governo sobre os indivíduos nada perde da sua importância quando os detentores do poder são regularmente responsáveis perante a comunidade - isto é, perante o partido mais forte no seio desta. Tal visão das coisas, que se recomenda tanto à inteligência dos pensadores como à inclinação daquelas importantes classes da sociedade europeia a cujos interesses, reais ou supostos, a democracia tem sido desfavorável, não tem tido dificuldade em se estabelecer. E, nas especulações políticas, a tirania do maior número se inclui, hoje, geralmente, entre os males contra os quais a sociedade se deve resguardar.

Como outras tiranias, a tirania do maior número foi, a princípio, e ainda é vulgarmente, encarada com terror, principalmente quando opera por intermédio dos atos das autoridades públicas. Mas pessoas refletidas perceberam que, no caso de ser a própria sociedade o tirano - a sociedade coletivamente ante os indivíduos separados que a compõem -, seus processos de tirania não se restringem aos atos praticáveis pelas mãos de seus funcionários políticos. A sociedade pode executar e executa os próprios mandatos; e, se ela expede mandatos errôneos ao invés de certos, ou mandatos relativos a coisas nas quais não deve intrometer-se, pratica uma tirania social mais terrível do que muitas formas de opressão política, desde que, embora não apoiada ordinariamente nas mesmas penalidades extremas que estas últimas, deixa, entretanto, menos meios de fuga que elas, penetrando muito mais profundamente nas particularidades da vida, e escravizando a própria alma. A proteção, portanto, contra a tirania do magistrado não basta. Importa ainda o amparo contra a tirania da opinião e do sentimento dominantes: contra a tendência da sociedade para impor, por outros meios além das penalidades civis, as próprias ideias e práticas como regras de conduta, àqueles que delas divergem, para refrear e, se possível, prevenir a formação de qualquer individualidade em desarmonia com os seus rumos, e compelir todos os caracteres a se plasmarem sobre o modelo dela própria. Há um limite à legítima interferência da opinião coletiva com a independência individual. E achar esse limite, e mantê-lo contra as usurpações, é indispensável tanto a uma boa condição dos negócios humanos como à proteção contra o despotismo político.

Mas, apesar da improbabilidade de se contestar, em tese, essa proposição, a questão prática de onde colocar esse limite – como fazer o ajustamento apropriado entre a independência individual e o controle social, é matéria na qual quase nada está feito. Tudo o que faz a existência valiosa a alguém está na dependência da força das restrições à atividade alheia. Algumas regras de conduta, pois, devem ser impostas, pela lei em primeira plana, e depois pela opinião quanto a muitas coisas inadequadas à regulamentação legal. Quais devam ser essas regras é o principal problema nos negócios humanos. Mas, se excetuamos alguns poucos casos de maior evidência, é um dos que menos progresso apresentam no encaminhamento de sua solução. Não há duas épocas, e dificilmente haverá dois países, que o tenham resolvido de maneira igual – a solução de uma época ou país espanta outra época ou país. E o povo de uma época dada ou de um dado país não suspeita da existência de nenhuma dificuldade no assunto, como se se tratasse de matéria sobre a qual os homens sempre tivessem estado de acordo. As regras em uso no seu meio parecem-lhe evidentes e justificáveis por si mesma. Essa ilusão quase universal é um dos exemplos da influência mágica do costume, o qual não é somente, como diz o provérbio, uma segunda natureza, mas ainda é continuamente tomado pela primeira natureza. O efeito do costume, de evitar qualquer dúvida sobre as regras de conduta que os homens impõem à atividade alheia, é o mais completo possível por constituir assunto no qual, geralmente, não se considera necessário apresentar razões, quer aos outros, quer a si mesmo. O povo está acostumado a crer - e foi encorajado nessa crença por alguns aspirantes à qualidade de filósofos - que seus sentimentos em assuntos dessa natureza valem mais que razões, e que é dispensável dar razões. O princípio prático que os conduz às opiniões sobre a regulamentação da conduta humana é o sentimento existente na alma de cada pessoa, de que todos seriam solicitados a agir como ela, e de que aqueles com quem ela simpatiza prefeririam, ao agirem, tais opiniões. Ninguém, na verdade, reconhece no íntimo que o seu critério de julgamento é a sua preferência. Entretanto, uma opinião em matéria de conduta que não se alicerça em razões, só pode ser tida como uma preferência pessoal. E se as razões, porventura dadas, constituem um mero apelo à preferência análoga sentida por outras pessoas, trata-se ainda tão somente de preferência de muitos ao invés de preferência de um só. Para um homem comum, todavia, sua própria preferência, assim fundamentada, é não apenas uma razão cabalmente satisfatória, mas ainda a única que, em regra, ele admite para quaisquer de suas noções de moralidade, gosto e decoro, que não estejam expressamente consignadas no seu credo religioso. E constitui, ademais, seu principal guia na interpretação deste. Nessa conformidade, as opiniões dos homens sobre o louvável e o reprovável são afetadas por todas as múltiplas causas que influenciam os seus desejos relativos à conduta alheia, causas tão numerosas como as que determinam quaisquer outros desejos seus. Algumas vezes a sua razão - em outros tempos os seus preconceitos, ou superstições, muitas vezes seus afetos sociais, não poucas vezes os antissociais, a inveja ou o ciúme, a arrogância ou o orgulho, porém mais comumente os desejos ou temores egoístas, os seus legítimos ou ilegítimos interesses próprios. Onde haja uma classe dominante, uma grande parte da moralidade nacional emana dos seus interesses de classe e dos seus sentimentos de superioridade de classe. As relações de moralidade entre espartanos e ilotas, plantadores e negros, príncipes e súditos, nobres e vilões, homens e mulheres, foram, na sua maior parte, criação desses sentimentos e interesses de classe. E os sentimentos assim gerados reagem sobre os sentimentos morais da classe dominante nas suas relações internas. Quando, de outro lado, uma classe formalmente dominante perde a ascendência, ou quando essa ascendência é impopular, os sentimentos morais que prevalecem trazem um cunho de impaciente aversão à superioridade. Outro grande princípio determinante das regras de conduta, positiva ou negativa, imposto pela lei ou pela opinião, é o servilismo dos homens para com as supostas preferências ou aversões dos seus senhores temporais ou dos seus deuses. Esse servilismo, ainda que essencialmente egoísta, não é hipocrisia. Dá origem a sentimentos perfeitamente genuínos de ódio. Levou à fogueira mágicos e heréticos. Em meio a tantas influências menos importantes, os interesses gerais e óbvios da sociedade representaram um papel – e um grande papel – na direção dos sentimentos morais. Menos, todavia, sob um aspecto racional, e por sua própria conta, do que sob a forma de simpatias ou antipatias que deles brotam. E simpatias ou antipatias, que pouco ou nada têm a ver com tais interesses, se fizeram sentir com igual força no estabelecimento de regras morais.

As preferências e aversões da sociedade, ou de alguma poderosa parte dela, constituem, assim, a principal determinante das normas estatuídas para observância geral, sob as penalidades da lei ou da opinião. E aqueles que se adiantaram, nos seus pensamentos e sentimentos, sobre a sociedade, em regra não se ergueram contra essa condição das coisas em princípio, por mais que se tenham posto em conflito com ela em algumas das suas minúcias. Preocuparam-se mais em indagar que coisas a sociedade devia estimar ou aborrecer do que em inquirir se as preferências ou aversões dela deviam constituir lei para os indivíduos. Preferiram tentar a transformação dos sentimentos humanos quanto às particularidades nas quais eles próprios agiam como heréticos a fazer causa comum, em defesa da liberdade, com os heréticos em geral. O único caso em que o mais alto baluarte foi conquistado desde o princípio, e mantido com solidez, não apenas por um ou outro indivíduo aqui e ali, foi o da crença religiosa. Caso instrutivo sob muitos aspectos, dos quais não é o menos importante o de oferecer um admirável exemplo da falibilidade do chamado senso moral. Pois o *odium theologicum*, num devoto sincero, é um dos mais inequívocos casos de sentimento moral. Os que primeiro quebraram o jugo da que se dizia Igreja Universal inclinavam-se, em regra, tão pouco a permitir divergências de opinião religiosa como aquela mesma Igreja. Quando, entretanto, o ardor do conflito arrefeceu, sem vitória decisiva para qualquer das partes, e cada igreja ou seita se achou reduzida a limitar suas esperanças à posse do terreno já por ela ocupado, as minorias, verificando que não tinham probabilidade de passar a maiorias, se viram na necessidade de pleitear permissão para divergir, junto àqueles que não tinham podido converter. Dessa maneira, foi quase tão somente nesse campo de luta que os direitos do indivíduo contra a sociedade se assentaram em largas bases de princípio, e que a pretensão desta de exercer autoridade sobre os dissidentes se viu abertamente discutida. Os grandes escritores, a que o mundo deve o que possui de liberdade religiosa, afirmaram, as mais das vezes, a liberdade de consciência como um direito inalienável, e negaram terminantemente que um ser humano devesse prestar contas aos outros de sua crença religiosa. Todavia, é tão natural na humanidade a intolerância no que quer que realmente a preocupe, que a liberdade religiosa tem sido, por toda a parte, dificilmente realizada na prática, exceto onde a indiferença religiosa, que detesta ter sua paz perturbada por disputas teológicas, lançou o seu peso no prato da balança. No espírito de quase todas as pessoas religiosas, mesmo nos países mais tolerantes, o dever da tolerância é admitido com tácitas reservas. Uma pessoa pode suportar divergências em assuntos de governo da Igreja, mas não de dogma; outra pode tolerar qualquer um, desde que não se trate de papista ou unitário; uma terceira admitirá os que creiam numa verdade revelada; alguns poucos estendem sua benevolência além, mas param na crença em um Deus e numa vida futura. Onde quer que o sentimento da maioria seja ainda genuíno e intenso, verifica-se que pouco renunciou da pretensão a ser obedecido.

Na Inglaterra, por circunstâncias peculiares à nossa história política, enquanto o jugo da opinião talvez seja mais pesado, o da lei é mais leve do que em muitos outros países da Europa. E há considerável hostilidade à interferência direta do poder legislativo ou executivo na conduta privada. Não tanto em virtude de uma justa preocupação pela independência individual quanto por força do hábito, ainda subsistente, de encarar o governo como representante de um interesse oposto ao público. A maioria ainda não aprendeu a sentir o poder governamental como o seu próprio poder, ou as opiniões governamentais como as suas próprias opiniões. Quando assim se der, a liberdade individual se verá provavelmente tão exposta às incursões do governo como hoje ainda se vê às da opinião pública. Por enquanto, porém, há uma considerável soma de sentimento pronto a se mobilizar contra toda tentativa da lei de controlar os indivíduos naquilo em que até aqui não estavam acostumados a ser controlados por ela. E isso quase sem distinguir se se trata de assunto pertinente à legítima esfera do controle da lei, ou não, de modo que o sentimento, altamente salutar em geral, tem tanto fundamento, nos casos próprios de sua aplicação, quanto é muitas vezes desviado destes. Não existe, de fato, um princípio aceito pelo qual a propriedade ou impropriedade da interferência governamental seja habitualmente julgada. O povo decide por preferências pessoais. Alguns há que, vendo um bem a se fazer ou um mal a se corrigir, instigariam, espontaneamente, o governo a empreender a tarefa; enquanto outros quase preferem arrostar qualquer soma de perigo social a acrescentar mais uma às esferas de interesses sociais sujeitas ao controle governamental. E os homens se colocam, nos caos concretos, dum ou doutro lado, conforme essa direção geral dos seus sentimentos, ou segundo o grau de interesse que sentem pela coisa particular que se propõe seja feita pelo governo, ou de acordo com a crença por eles nutrida de que o governo a fará, ou não, da forma por eles preferida.

Mas muito raramente na conformidade de uma opinião solidamente aceita, relativa ao que constitui o objeto adequado da atividade governamental. E parece-me que, no presente, em virtude dessa falta de uma regra ou princípio, um lado erra tanto quanto o outro. A interferência do governo é, com frequência aproximadamente igual, impropriamente invocada e impropriamente condenada.

O objeto deste Ensaio é defender como indicado para orientar de forma absoluta as intervenções da sociedade no individual, um princípio muito simples, quer para o caso do uso da força física sob a forma de penalidades legais, quer para o da coerção moral da opinião pública. Consiste esse princípio em que a única finalidade justificativa da interferência dos homens, individual e coletivamente, na liberdade de ação de outrem, é a autoproteção. O único propósito com o qual se legitima o exercício do poder sobre algum membro de uma comunidade civilizada contra a sua vontade é impedir dano a outrem. O próprio bem do indivíduo, seja material seja moral, não constitui justificação suficiente. O indivíduo não pode legitimamente ser compelido a fazer ou deixar de fazer alguma coisa, porque tal seja melhor para ele, porque tal o faça mais feliz, porque na opinião dos outros tal seja sábio ou reto. Essas são boas razões para o admoestar, para com ele discutir, para o persuadir, para o aconselhar, mas não para o coagir, ou para lhe infligir um mal caso aja de outra forma. Para justificar a coação ou a penalidade, faz-se mister que a conduta de que se quer desviá-lo tenha em mira causar dano a outrem. A única parte da conduta por que alguém responde perante a sociedade é a que concerne aos outros. Na parte que diz respeito unicamente a ele próprio, a sua independência é, de direito, absoluta. Sobre si mesmo, sobre o seu próprio corpo e espírito, o indivíduo é soberano.

Talvez seja quase desnecessário dizer que essa doutrina pretende aplicar-se somente aos seres humanos de faculdades maduras. Não nos referimos a crianças ou a jovens abaixo da idade fixada pela lei para a emancipação masculina ou feminina. Aqueles cuja condição requer ainda a assistência alheia devem ser protegidos contra as suas próprias ações da mesma forma que contra as injúrias alheias. Pelo mesmo motivo, podemos deixar fora de consideração aqueles estados sociais atrasados nos quais o próprio grupo pode ser tido como ainda na minoridade. São tão grandes as dificuldades que cedo surgem na via do progresso espontâneo, que raramente se tem a possibilidade de escolher os meios para superá-las. E um governante animado do espírito de aperfeiçoamento é justificado de usar quaisquer expedientes para atingir um fim talvez de outra maneira inatingível. O despotismo é um modo legítimo de governo quando se lida com bárbaros, uma vez que se vise o aperfeiçoamento destes, e os meios se justifiquem pela sua eficiência atual na obtenção desse resultado. O princípio da liberdade não tem aplicação a qualquer estado de coisas anterior ao tempo em que a humanidade se tornou capaz de se nutrir da discussão livre e igual. Até tal momento só lhe cabe a obediência cega a um Akbar ou um Carlos Magno, se teve a fortuna de o encontrar. Desde o instante, todavia, em que os homens atingiram a capacidade de se orientarem para o próprio aperfeiçoamento pela convicção ou pela persuasão (instante já há bastante tempo alcançado em todas as nações com que precisamos preocupar-nos aqui), a coação, quer na forma direta, quer na de castigos ou penalidades por rebeldia, passou a ser inadmissível como método de consecução do próprio bem individual, sendo justificável apenas quando tem em mira a segurança alheia.

Convém firme eu que renuncio a qualquer vantagem advinda para a minha argumentação da ideia de direito abstrato, como algo independente da utilidade. Eu encaro a utilidade como a última instância em todas as questões éticas, mas a utilidade no seu mais largo sentido, a utilidade baseada nos interesses permanentes do homem como ser progressivo. Esses interesses, sustento, autorizam a sujeição da espontaneidade individual ao controle exterior somente quanto àquelas ações de cada um que concernem ao interesse alheio. Se alguém pratica um ato lesivo a outrem, é esse, *prima facie,* um caso para puni-lo, pela lei ou, onde penalidades legais não sejam seguramente aplicáveis, pela reprovação geral. Existem também muitos atos positivos em benefício alheio que o indivíduo pode legitimamente ser compelido a praticar – tais como depor num tribunal, suportar a sua parte razoável na defesa comum, ou em qualquer outro trabalho coletivo necessário ao interesse da sociedade cuja proteção goza; e executar certos atos de beneficência individual, tais como salvar a vida de um semelhante, ou intervir para proteger o indefeso contra o abuso – coisas essas que, sempre que o dever de um homem seja patentemente fazê-las, pode ele legitimamente ser responsabilizado perante a sociedade por não fazer. Uma pessoa pode causar dano a outra não apenas pelas suas ações, mas ainda pela sua inação, e em ambos os casos é justo responda para com a outra pela injúria. O segundo caso, é verdade, requer um exercício muito mais cauteloso da coação do que o primeiro. Responsabilizar alguém por lesar outrem, é a regra; responsabilizá-lo por não impedir a lesão é, comparativamente falando, a exceção. Há, contudo, muitos casos de clareza e gravidade suficientes para justificar essa exceção. Em tudo que diz respeito às relações externas do indivíduo, este é, *de jure*, responsável para com aqueles cujos interesses são inquietados, e, se necessário, perante a sociedade na qualidade de protetora destes. Existem frequentemente boas razões para não o chamar à responsabilidade. Mas elas devem originar-se das conveniências específicas do caso: ou porque o caso é daqueles em que o indivíduo deixado à sua própria discrição age melhor do que controlado de alguma maneira pelo poder da sociedade; ou porque a tentativa de exercício do controle produziria danos maiores do que os que se deseja prevenir. Quando razões tais impedem a responsabilização, a consciência do próprio autor deveria substituir-se ao julgamento ausente e amparar os interesses alheios desprovidos de proteção externa, sentenciando o mais rigidamente possível por isso mesmo que o caso não tolera a responsabilidade ante o julgamento dos semelhantes.

Há, porém, uma esfera de ação na qual a sociedade, enquanto distinta do indivíduo, se algum interesse tem, tem-no unicamente indireto – e é a que compreende toda essa parte da vida e da conduta de uma pessoa que afeta apenas a ela, ou, se também aos outros, somente com o livre, voluntário e esclarecido consentimento desses outros. Quando digo – "apenas a ela", quero dizer – diretamente e em primeira instância, pois o que quer que seja que afete uma pessoa, pode afetar os outros através dela.

E a objeção que se pode fundar nessa contingência será apreciada depois. Tal esfera é a esfera adequada da liberdade humana. Ela abrange, primeiro, o domínio íntimo da consciência, exigindo liberdade de consciência no mais compreensivo sentido, liberdade de pensar e de sentir, liberdade absoluta de opinião e de sentimento sobre quaisquer assuntos, práticos, ou especulativos, científicos, morais ou teológicos. A liberdade de exprimir e publicar opiniões pode parecer que cai sob um princípio diferente, uma vez que pertence àquela parte da conduta individual que concerne às outras pessoas. Mas, sendo quase de tanta importância como a própria liberdade de pensamento, e repousando, em grande parte sobre as mesmas razões, é praticamente inseparável dela. Em segundo lugar, o princípio requer a liberdade de gostos e de ocupações; de dispor o plano de nossa vida para seguirmos nosso próprio caráter; de agir como preferirmos, sujeitos às consequências que possam resultar; sem impedimento da parte dos nossos semelhantes enquanto o que fazemos não os prejudica, ainda que considerem a nossa conduta louca, perversa ou errada. Em terceiro lugar, dessa liberdade de cada indivíduo segue-se a liberdade, dentro dos mesmos limites, de associação entre os indivíduos, liberdade de se unirem para qualquer propósito que não envolva dano, suposto que as pessoas associadas sejam emancipadas, e não tenham sido constrangidas nem iludidas.

Nenhuma sociedade é livre, qualquer que seja a sua forma de governo, se nela não se respeitam, em geral, essas liberdades. E nenhuma sociedade é completamente livre se nela essas liberdades não forem absolutas e sem reservas. A única liberdade que merece o nome, é a de procurar o próprio bem pelo método próprio, enquanto não tentamos desapossar os outros do que é seu, ou impedir seus esforços para obtê-lo. Cada qual é o guardião conveniente da própria saúde, quer corporal, quer mental e espiritual. Os homens têm mais a ganhar suportando que os outros vivam como bem lhes parece do que os obrigando a viver como bem parece ao resto.

Embora essa doutrina não seja nova, e para algumas pessoas tenha o ar de um axioma, não existe doutrina mais diretamente oposta à tendência geral da opinião e da prática correntes. A sociedade expendeu amplamente tanto esforço na tentativa (conforme aos seus pontos de vista) de compelir o povo a se adaptar às suas noções de excelência pessoal quanto às de excelência social. As repúblicas antigas julgaram-se autorizadas a praticar, e os antigos filósofos apoiaram, a regulamentação de todos os aspectos da conduta privada pela autoridade pública, com o fundamento de que o Estado tem profundo interesse em toda a disciplina corpórea e mental de cada um dos seus cidadãos. Esse modo de pensar se podia admitir em pequenas repúblicas rodeadas de inimigos poderosos, em perigo constante de se verem subvertidas por um ataque externo ou uma comoção intestina. Ademais, para elas, um curto intervalo de relaxamento de energia e de autocomando podia ser tão facilmente fatal que não lhes era possível esperar pelos salutares efeitos permanentes da liberdade. No mundo moderno, o maior tamanho das comunidades políticas e, acima de tudo, a separação entre autoridade espiritual e a temporal (que colocou a direção das consciências em mãos diferentes das que controlam os negócios mundanos), muito obstaram uma interferência da lei nas particularidades da vida privada. Os mecanismos da repressão moral têm sido, porém, manejados contra a divergência da opinião dominante nas matérias pessoais com mais tenacidade do que nas matérias sociais. Tanto mais de que a religião, o mais poderoso dos elementos formadores do sentimento moral, tem sido, quase sempre, governada ou pela ambição de uma hierarquia que procura controlar todos os aspectos da conduta humana, ou pelo espírito puritano. E alguns dos reformadores modernos que se colocaram em mais forte oposição às religiões do passado não ficaram atrás das igrejas ou seitas na afirmativa do direito de dominação espiritual. Particularmente, Comte, cujo sistema social, como o desenvolveu no seu *Système de politique positive*, visa estabelecer (ainda que preferindo os meios morais aos legais) um despotismo da sociedade sobre o indivíduo que ultrapassa qualquer coisa sonhada no ideal político do mais rígido puritano entre os filósofos antigos.

Além dos dogmas peculiares e pensadores isolados, existe ainda, no mundo, em geral, uma inclinação crescente a estender indevidamente os poderes sociais sobre o indivíduo, e pela força da opinião e pela força da lei. E, como a tendência de todas as transformações que se estão operando no mundo é fortalecer a sociedade e diminuir o poder do indivíduo, essa usurpação não é dos perigos que propendam espontaneamente a desaparecer, e sim a crescer formidavelmente cada vez mais. A disposição dos homens, quer governantes, quer concidadãos, para impor as suas próprias opiniões ou inclinações, como regras de conduta, aos outros, é tão energicamente sustentada por alguns dos melhores e também dos piores sentimentos encontradiços na natureza humana, que quase nunca se contém a si mesma, a não ser por falta de poder. E, como este não está declinando, e sim ascendendo, a menos que uma forte barreira de convicções morais se levante contra o mal, o que devemos aguardar, nas presentes circunstâncias do mundo, é vê-lo crescer.

Convém à argumentação que, ao invés de entrarmos de uma vez, na tese geral, nos confinemos, no primeiro momento, a um aspecto isolado, no qual o princípio por nós posto é reconhecido, se não inteiramente, pelo menos até certo ponto, pelas opiniões correntes. Esse aspecto é a liberdade de pensamento, da qual são inseparáveis as liberdades cognatas, de falar e escrever. Embora essas liberdades, numa porção considerável, façam parte da moralidade política de todos os países que professam tolerância religiosa e instituições livres, os fundamentos, tanto o filosófico como o prático, sobre que elas repousam, talvez não sejam familiares ao espírito geral, nem apreciados por muita gente, mesmo líderes da opinião, na medida em que se podia esperar. Tais fundamentos, quando entendidos com justeza, são aplicáveis muito além de uma única divisão do assunto, e uma completa consideração dessa parte do problema constituirá a melhor introdução ao resto. Espero, pois, que aqueles para quem nada do que vou dizer será novo me perdoem se me aventuro em mais uma discussão, num assunto tantas vezes discutido nos últimos três séculos.

CAPÍTULO II

Da liberdade de pensamento e discussão

É de se esperar tenha chegado o tempo em que não se faz necessária defesa alguma da "liberdade de imprensa" como uma das garantias contra os governos tirânicos e corruptos. Podemos supor seja dispensável qualquer argumento contra a permissão de uma legislatura ou um executivo, de interesses não identificados com os do povo, prescrever opiniões a este e determinar que doutrinas ou que argumentos lhe será concedido ouvir. Ademais, esse aspecto do problema foi objeto de tantas e tão triunfantes demonstrações da parte dos escritores precedentes, que aqui não carece insistir-se nele. Embora a lei inglesa sobre a imprensa seja tão servil hoje em dia como o era no tempo dos Tudors, é pequeno o perigo de ser ela atualmente utilizada contra a discussão política, salvo no momento de algum pânico transitório, quando o medo da insurreição leva ministros e juízes à perda do decoro[1]. E, falando de maneira geral, não é de se temer, em países constitucionais, que o governo, quer seja plenamente responsável ante o povo, quer não, tente controlar com frequência a expressão do pensamento, salvo se, assim fazendo, ele age como órgão da intolerância geral do público. Suponhamos, pois, que o governo esteja em inteira harmonia com o povo e nunca pense em exercer qualquer poder coercitivo senão de acordo com o que lhe parece a voz deste. Eu nego, porém, o direito do povo de exercer essa coerção, por si mesmo ou pelo seu governo. Tal poder é ilegítimo em si. O melhor governo não tem a ele título superior ao do pior. É tão nocivo, ou ainda mais nocivo, quando exercido de acordo com a opinião pública, do que em oposição a ela. Se todos os homens menos um fossem de certa opinião, e um único da opinião contrária, a humanidade não teria mais direito a impor silêncio a esse um do que ele a fazer calar a humanidade, se tivesse esse poder. Fosse uma opinião um bem pessoal sem valor exceto para o dono; se ser impedido no gozo desse bem constituísse simplesmente uma injúria privada, faria diferença que o dano fosse infligido a poucos ou a muitos. Mas o mal específico de impedir a expressão de uma opinião está em que se rouba o gênero humano; a posteridade tanto quanto as gerações presentes; aqueles que dissentem da opinião ainda mais que os que a sustentam. Se a opinião é certa, aquele foi privado da oportunidade de trocar o erro pela verdade; se errônea, perdeu o que constitui um bem de quase tanto valor – a percepção mais clara e a impressão mais viva da verdade, produzidas pela sua colisão com o erro.

É necessário considerar separadamente essas duas hipóteses, a cada uma das quais corresponde um ramo distinto da argumentação. Nunca podemos estar seguros de que a opinião que procuramos sufocar seja falsa; e, se estivéssemos seguros, sufocá-la seria ainda um mal.

Primeiramente, a opinião que se tenta suprimir por meio da autoridade talvez seja verdadeira. Os que desejam suprimi-la negam, sem dúvida, a sua verdade, mas eles não são infalíveis. Não têm autoridade para decidir a questão por toda a humanidade, nem para excluir os outros das instâncias do julgamento. Negar ouvido a uma opinião porque se esteja certo de que é falsa, é presumir que a *própria* certeza seja o mesmo que certeza *absoluta*. Impor silêncio a uma discussão é sempre arrogar-se infalibilidade. Pode-se deixar que a condenação dessa atitude repouse sobre esse argumento vulgar, não o pior por ser vulgar.

Infelizmente para o bom-senso do gênero humano, o fato da sua falibilidade está longe de ter no juízo prático dos homens o peso que sempre se lhe concede em teoria. Pois que, embora cada um saiba bem, no seu íntimo, que é falível, poucos acham necessário tomar quaisquer precauções contra a própria falibilidade, ou admitir que alguma opinião de que estejam certos possa ser um exemplar do erro a que se reconhecem expostos. Os príncipes absolutos, ou outras pessoas acostumadas a uma deferência sem limites, sentem, em regra, essa completa confiança em suas opiniões, em quase todos os assuntos. Pessoas melhor colocadas para verem a matéria, pessoas que algumas vezes têm as suas opiniões discutidas, mas que não estão inteiramente desabituadas a se verem atribuir razão quando se acham no erro, confiam da mesma forma ilimitada naquelas de suas opiniões que são partilhadas por todos ao seu redor, ou por todos a que habitualmente prestam deferência. Isso porque um homem descansa, em regra, com tácita confiança, na proporção da falta desta no próprio juízo isolado, na infalibilidade do "mundo" em geral. E o mundo, para cada indivíduo, significa aquela parte do mundo com a qual tem mantido contato - o seu partido, a sua igreja, a sua seita, a sua classe social. Quase se pode chamar, analogicamente, de liberal ou de espírito largo àquele para quem o mundo significa algo tão compreensivo como o seu país ou a sua época. E a sua fé na autoridade coletiva não se abala, em absoluto, por vir a saber que outras épocas, países, seitas, classes e partidos pensaram, e ainda hoje pensam, precisamente, o contrário. Ele lança sobre o seu mundo a responsabilidade pela justeza de suas opiniões ante os outros mundos divergentes. E jamais o perturba que um mero acidente tenha decidido qual desses numerosos mundos seja o objeto da sua confiança. Como não o perturba que as mesmas causas que o fizeram anglicano em Londres, o poderiam ter feito budista ou confucionista em Pequim. Contudo, isso é tão evidente por si mesmo quanto é certo que as épocas não são mais infalíveis que os indivíduos - cada época tendo adotado muitas opiniões que as épocas seguintes consideraram não só falsas como ainda absurdas; e que muitas opiniões, agora gerais, serão rejeitadas no futuro, como muitas, outrora gerais, o foram no presente.

A esse argumento talvez se objetasse o que se segue. Quando se proíbe a propagação de um erro, não se arroga maior infalibilidade do que em qualquer outro ato da autoridade pública praticado sob o seu exclusivo critério e responsabilidade. O discernimento é dado aos homens para que o usem. Porque possa ser usado erroneamente, deve-se dizer-lhes que não o usem em absoluto?

Quando, pois, eles proíbem o que consideram pernicioso, não pretendem que sejam isentos de erro, mas apenas cumprem o dever, que lhes incumbe, de agir segundo sua criteriosa convicção. Se nunca agíssemos segundo nossas convicções porque podem ser erradas, deixaríamos os nossos interesses descurados e não executaríamos nenhuma das nossas obrigações. Uma objeção aplicável à conduta em geral pode não ser válida em algum caso específico. Os governos e os indivíduos devem formar as opiniões mais verdadeiras possíveis, formá-las cuidadosamente, e jamais as impor a outrem sem que estejam inteiramente seguros da sua justeza. Mas, quando se tem essa segurança (dirão os que nos contradizem), não é consciencioso, e sim covarde, recuar da ação conforme às próprias convicções, bem como tolerar a divulgação irrestrita de doutrinas que honestamente se julgam perigosas à felicidade humana nesta ou noutra vida, baseando-se em que se perseguiram, em épocas menos sábias, pessoas que professavam opiniões hoje tidas por verdadeiras. Tomemos cuidado, dir-se-á, em não cometer o mesmo erro; mas governos e nações têm cometido erros em outras coisas que não se nega serem objetos adequados do exercício da autoridade: têm lançado maus impostos e feito guerras injustas. Devemos, por isso, não lançar impostos nem ante qualquer provocação fazer guerras? Homens e governos devem agir segundo o melhor da sua capacidade. Não existe certeza absoluta, mas existe segurança suficiente para os propósitos da vida humana. Podemos e devemos presumir a verdade da nossa opinião, para orientarmos a nossa conduta. Cabe a mesma presunção quando proibimos os maus de perverter a sociedade pela propagação de opiniões que encaramos como falsas e perniciosas.

A isso respondo que não se trata da mesma presunção, mas de outra muito mais ampla. Existe a maior diferença entre presumir a verdade de uma opinião que não foi refutada, apesar de existirem todas as oportunidades para a contestar, e presumir a sua verdade com o propósito de não permitir a sua refutação. A completa liberdade de contestar e refutar a nossa opinião é o que verdadeiramente nos justifica de presumir a sua verdade para os propósitos práticos, e só nesses termos pode o homem, com as faculdades que tem, possuir uma segurança racional de estar certo.

Quando consideramos quer a história da opinião, quer a conduta ordinária da vida humana, ao que se deve atribuir não serem uma e outra piores do que são? Não será, sem dúvida, à força inerente ao entendimento humano. Pois que, em qualquer matéria não evidente por si, noventa e nove pessoas em cem se revelam totalmente incapazes de julgá-la. E mesmo a capacidade da centésima pessoa é apenas comparativa. A maioria dos homens eminentes de cada geração passada esposaram muitas opiniões hoje reconhecidas errôneas, e fizeram e aprovaram inúmeras coisas que hoje ninguém justificará. Como então preponderam entre os homens, em geral, opiniões racionais e uma conduta racional? Se realmente existe essa preponderância – e deve existir a menos que os negócios humanos estejam, e sempre tenham estado, numa condição desesperada – isso é devido a uma qualidade do espírito humano, fonte de tudo que é respeitável no homem, como ser intelectual e como ser moral – a saber, a corrigibilidade dos seus erros. Ele é capaz de retificar os seus enganos pela discussão e pela experiência. Não pela experiência apenas. Deve haver discussão, para mostrar como se há de interpretar a experiência. As opiniões e práticas erradas se submetem gradualmente ao fato e ao argumento, mas fatos e argumentos, para produzirem algum efeito no espírito, devem ser trazidos diante dele. Muito poucos fatos são eloquentes por si dispensando comentários que lhes revelem o significado. Nessas condições, dependendo toda a força e todo o valor do entendimento humano dessa propriedade de poder ele, se se acha no erro, atingir o certo, só se lhe pode dispensar confiança quando os meios de consecução da certeza são mantidos em mão com constância. Como consegue alguém que o seu juízo mereça realmente confiança? Conservando o espírito aberto às críticas de suas opiniões e da sua conduta, atendendo a tudo quanto se tenha dito em contrário, aproveitando essa crítica na medida da sua justeza, e reconhecendo ante si mesmo, e ocasionalmente ante outros, a falácia do que era falacioso. E sentindo que o único meio de um ser humano aproximar-se do conhecimento completo de um assunto é ouvir o que sobre ele digam representantes de cada variedade de opinião, e considerar todas as formas por que cada classe de espíritos o possa encarar. Jamais qualquer homem sábio adquiriu a sua sabedoria por outro método que não esse, nem está na natureza do intelecto humano chegar à sabedoria de outra maneira. O hábito firme de corrigir e completar a própria opinião pelo confronto com a dos outros, muito ao contrário de causar dúvida e hesitação no levá-la à prática, constitui o único fundamento estável de uma justa confiança nela. Porque, conhecendo tudo que se possa dizer, ao menos obviamente, do ponto de vista oposto, e tendo tomado posição contra todos os adversários com a consciência de ter procurado objeções e dificuldades, ao invés de as evitar, e de não ter interceptado nenhuma luz que de qualquer quadrante pudesse ser lançada sobre o assunto, um homem se acha no direito de considerar o seu juízo melhor que o de qualquer pessoa ou multidão que não tenha procedido da mesma forma.

Não é demais pleitear que essa coleção promíscua de alguns indivíduos sábios e muitos tolos, chamada o público, se deva submeter àquilo que os mais sábios dentre os homens, os mais autorizados a confiar no próprio entendimento, acham necessário para garantir essa confiança. A mais intolerante das igrejas, a Igreja Católica Romana, ainda na canonização de um santo, permite, e ouve pacientemente, um "advogado do diabo". Parece, assim, que os homens mais santos não podem ser admitidos a honras póstumas sem que se conheça e pese tudo quanto o diabo possa dizer contra eles. Se não se tivesse franqueado o debate mesmo sobre a filosofia newtoniana, a humanidade não poderia ter a completa certeza da sua verdade que hoje tem. As crenças em que mais confiamos não repousam numa espécie de salvaguarda, e sim num convite constante a todo o mundo para provar-lhes a improcedência. Se não é aceito o desafio, ou se é mas a crença admitida triunfa, ainda assim nos achamos bem longe da certeza. Fizemos, contudo, o melhor que o estado atual da razão humana permite. Não negligenciamos nada que pudesse dar à verdade a possibilidade de nos atingir. Se a liça se mantém aberta, podemos esperar que, se houver uma melhor verdade, a encontraremos quando a mente humana for capaz de a receber. E, entrementes, podemos fiar-nos em que alcançamos a aproximação da verdade possível em nossos dias. Essa é a soma de certeza que um ser falível pode conseguir, e essa é a única via para chegar a ela.

É estranho que os homens admitissem a validade dos argumentos a favor da livre-discussão, mas objetassem que eles são "levados ao extremo" não vendo que, se as razões não são boas num caso extremo, não são boas em caso nenhum. Estranho, ainda, imaginassem que não se arrogam infalibilidade quando reconhecem que deve haver livre-discussão sobre todos os assuntos *que se prestem a dúvidas,* mas não sobre algum princípio ou doutrina especial que seja suficientemente *certa,* isto é, a respeito da *qual eles estejam certos* de que é certa. Chamar de certa alguma proposição enquanto haja alguém que, se fosse permitido, a negaria, mas a quem tal não se permite, é presumir que nós, e os que conosco concordam, somos juízes da certeza, e juízes que dispensam a audiência da outra parte.

Na época presente - que tem sido qualificada de "destituída de fé, mas aterrorizada ante o ceticismo" - na qual o povo se sente seguro, não tanto de que suas opiniões são verdadeiras quanto de que sem elas não saberia o que fazer, reclama-se o amparo de uma opinião contra o ataque público menos por sua verdade do que pela sua importância social. Alega-se que certas crenças são tão úteis, para não dizer indispensáveis, ao bem-estar, que os governos devem sustentá-las da mesma forma que protegem outros interesses sociais. Afirma-se que é tal essa necessidade, que isso se acha tão diretamente na linha do seu dever, que não se faz mister a infalibilidade para justificar os governos de agirem, e mesmo obrigá-los a fazerem-no, segundo a sua opinião, confirmada pela opinião geral, e que eles têm mesmo a obrigação de assim proceder. Argúi-se, também, com frequência, e mais ainda se pensa, que ninguém, salvo homens malignos, desejaria enfraquecer crenças salutares. E julga-se que não pode haver mal nas restrições a homens nocivos, e na proibição do que somente estes quereriam praticar. Esses argumentos tornam a justificação das restrições em debate não uma questão da verdade das doutrinas, mas da sua utilidade, e têm a pretensão de esquivar a responsabilidade de supor um juiz infalível de opiniões. Aqueles, porém, que se satisfazem com isso, não percebem que a presunção de infalibilidade apenas se deslocou de um ponto para outro. A utilidade de uma opinião é ela própria matéria de opinião: tão disputável, tão aberta a debate, exigindo tanto debate, como a própria opinião. Falta um juiz infalível de opiniões para decidir se a opinião é nociva da mesma forma que para decidir se é falsa, a menos que a opinião condenada tenha ampla oportunidade de se defender. E não é bastante dizer que se concederá aos heréticos defender a utilidade ou a inocência da sua opinião, embora se vejam proibidos de defender-lhe a verdade. A verdade de uma opinião faz parte da sua utilidade. Se quiséssemos saber se crença numa assertiva é, ou não, desejável, seria possível excluir a consideração de ser ela, ou não, verdadeira? Na opinião, não dos maus, mas dos melhores, não ter crenças contrárias à verdade pode ser realmente útil; e podeis impedir a tais homens essa defesa quando se veem inculpados de negar alguma doutrina, de cuja utilidade se lhes fala, mas que creem falsa? Os que estão do lado das doutrinas aceitas jamais deixam de tirar toda a vantagem possível dessa defesa. Não os encontrareis manejando o argumento da utilidade como se esta pudesse ser completamente abstraída da verdade. Ao contrário, é sobretudo porque a sua doutrina é a "verdade", que reputam tão indispensável o conhecimento dela ou a crença nela. Não pode haver discussão leal da questão da utilidade se apenas se permite o emprego de tão vital argumento a uma das partes. E, de fato, quando a lei ou o sentimento público interdizem a disputa sobre a verdade de uma opinião, mostram precisamente a mesma intolerância para com a negativa da sua utilidade. O mais que elas concedem é que a opinião não seja de tão absoluta necessidade, sendo sempre necessária, ou que se atenue a positiva culpa que há em rejeitá-la.

A fim de ilustrar mais amplamente o mal que existe em não darmos ouvido a opiniões por as ter a nossa apreciação condenado, convirá limitar o debate a um caso concreto. E eu escolho, de preferência, os casos menos favoráveis a mim, nos quais o argumento contra a liberdade de opinião é havido pelo mais forte, fundado que é, ao mesmo tempo, na verdade e na utilidade. Suponhamos que se impugna a crença em Deus ou numa condição futura, ou algumas das doutrinas de moralidade geralmente aceitas. Travar a batalha em tal terreno dá grande vantagem ao adversário desleal, visto que ele poderá seguramente dizer (e muitos que não querem ser desleais pensá-lo-ão) – são essas as doutrinas que não considerais suficientemente certas para que a lei as tome sob a sua proteção? É a crença em Deus uma das opiniões de que estar convicto reputais arrogar-se infalibilidade? Deve-se permitir-me observar que não é sentir-se seguro de uma doutrina (seja isso o que for) o que chamo arrogar-se infalibilidade. É a ousadia de decidir a questão pelos *outros*, sem lhes conceder ouçam o que possa ser dito em contrário. E eu denuncio e reprovo essa pretensão, mesmo em favor das minhas mais solenes convicções. Ainda que a persuasão absoluta de alguém seja não só da falsidade, mas também da nocividade, e não só da nocividade, mas também (admitindo expressões que condeno inteiramente) da imoralidade e da impiedade de uma opinião; se em virtude dessa vista pessoal, mesmo que apoiada na apreciação pública do seu país ou da sua época, esse alguém impede a opinião de fazer ouvir a sua defesa, ele se arroga infalibilidade. E, muito longe de ser essa assunção de infalibilidade menos impugnável ou menos perigosa porque se chame a opinião de imoral ou ímpia, precisamente aí é que é ela fatal. São essas, exatamente, as ocasiões em que uma geração comete aqueles terríveis erros que provocam o espanto e o horror da posteridade. Entre eles deparamos os memoráveis exemplos históricos em que o braço da lei foi empregado para extirpar os melhores homens e as mais nobres doutrinas – com deplorável sucesso pelo que diz respeito aos homens, embora, quanto às doutrinas, algumas delas tenham sobrevivido para ser invocadas (como um escárnio) em defesa de uma conduta análoga para com os antagonistas *delas* ou da sua interpretação aceita.

Não será demais recordar à humanidade que houve, uma vez, um homem chamado Sócrates entre quem e as autoridades legais, e mais a opinião pública do seu tempo, se verificou uma colisão memorável. Nascido numa época e num país ricos em indivíduos superiores, esse homem nos tem sido apresentado pelos que melhor o conheceram, e à sua época, como o homem mais virtuoso desta. E *nós* o sabemos o chefe e o protótipo de todos os subsequentes professores de virtude e a fonte igualmente da sublime inspiração de Platão e do judicioso utilitarismo de Aristóteles, "*i maëstri di color che sanno*", as duas nascentes da ética e de toda a restante filosofia. Esse mestre reconhecido de todos os pensadores que se lhe seguiram - esse homem cuja fama, ainda vicejante mais de dois mil anos passados, quase que excede a de todos os demais nomes que fazem ilustre a sua cidade natal, foi condenado à morte pelos seus concidadãos, como desfecho de um processo judicial, sob a acusação de impiedade e imoralidade. Impiedade consiste em repudiar os deuses reconhecidos pelo Estado; na verdade, o seu acusador sustentou (cf. a *Apologia*) que ele não acreditava em deus nenhum. Imoralidade, visto ser, por suas doutrinas e ensinamentos, um "corruptor da juventude". Há todo o fundamento para crer que dessas acusações o tribunal honestamente o reconheceu culpado. E o homem que provavelmente de todos os seus contemporâneos mais merecera da humanidade, o tribunal o condenou a ser morto como um criminoso.

Um único exemplo mais de iniquidade judicial pode ser mencionado após o da condenação de Sócrates sem constituir um anticlímax - o acontecimento que teve lugar no Calvário há pouco mais de mil e oitocentos anos. O homem que deixou na memória dos que presenciaram a sua vida e ouviram as suas palavras uma tal impressão de grandeza moral que os dezoito séculos subsequentes o cultuaram como o Onipotente em pessoa, foi ignominiosamente executado, como o quê? Como blasfemador. Os homens que lhe fizeram isso não se enganaram meramente sobre o seu benfeitor: ainda o tomaram pelo contrário exato do que era, e o trataram como aquele prodígio de iniquidade que hoje se vê precisamente neles pelo tratamento que deram à sua vítima. Os sentimentos com que a humanidade encara no presente esses sucessos, principalmente o segundo, a tornam extremamente injusta na sua apreciação dos infelizes agentes dessas duas execuções. Segundo parece, não eram eles maus homens – não eram piores do que os homens são comumente, ao contrário: homens que possuíam, numa ampla, ou mais que ampla medida, os sentimentos religiosos, morais e patrióticos do seu tempo e do seu povo – a verdadeira espécie de homens que, em todos os tempos, no nosso inclusive, contam toda a probabilidade de passar através da vida livres de censura e cercados de respeito. O sumo sacerdote que rasgou as vestes quando se pronunciaram as palavras que, segundo todas as ideias do seu país, constituíam a mais negra culpa, foi, com toda a probabilidade, tão sincero no seu horror e indignação quanto o comum dos homens respeitáveis e piedosos o são hoje nos sentimentos morais e religiosos que professam. E a maioria dos que hoje tremem ante a sua conduta, se houvessem vivido no seu tempo e nascido judeus, teriam agido precisamente como ele. Os cristãos ortodoxos que são tentados a pensar que os matadores a pedradas dos primeiros mártires devem ter sido homens piores do que eles, devem recordar-se de que um dos perseguidores era São Paulo.

Acrescentamos mais um exemplo, o mais sugestivo de todos, se o caráter impressionante de um erro se mede pela sabedoria e pela virtude do que nele incorre. Se, em alguma época, alguém, investido do poder, teve motivos para se julgar o melhor e o mais esclarecido dos homens do seu tempo, esse foi o Imperador Marco Aurélio. Monarca absoluto de todo o mundo civilizado, conservou através da vida não apenas a mais imaculada justiça, como também - o que era menos de se esperar da sua formação estoica - o mais terno coração. As poucas faltas que se lhe atribuíram foram todas do lado da indulgência. E os seus escritos, a mais elevada produção ética do espírito antigo, pouco se percebe que difiram, se algo diferem, dos mais característicos ensinamentos de Cristo. Esse homem, melhor cristão, quase no sentido dogmático corrente, que quase todos os soberanos ostensivamente cristãos que reinaram depois, perseguiu o cristianismo. Situado acima dos maiores talentos da humanidade, dotado de uma inteligência aberta, livre de peias, e de um caráter que o levou a incorporar, por si, nos seus escritos morais o ideal cristão, não viu que o cristianismo, preconizando os deveres de que ele, Marco Aurélio, era tão profundamente penetrado, teria de ser um bem e não um mal para o mundo. A sociedade existente, ele a sabia numa condição deplorável. Mas viu, ou pensou que via, que, tal como se apresentava, ela se conservava unida e era preservada de se tornar pior pela crença e a veneração das divindades aceitas. Como governante, ele julgou seu dever não deixar se desfizesse a sociedade em pedaços. E não viu como, se se rompessem os vínculos existentes, se poderiam formar outros que restaurassem a unidade. A nova religião visava abertamente a dissolução desses laços. Parecia, pois, que seu dever, a menos que consistisse em adotar essa religião, seria abatê-la. Considerando, então, que a Marco Aurélio a teologia cristã não aparentou ser verdadeira ou de origem divina; considerando quão pouco crível lhe era essa estranha história de um Deus crucificado, e que ele não podia prever que um sistema alicerçado inteiramente sobre bases que lhe pareciam tão inacreditáveis, fosse esse fator de renovação que, depois de todos os golpes, provou, de fato, ser; os filósofos e governantes mais ilustres e mais estimáveis, sob a inspiração de um solene senso do dever, tiveram por lícita a perseguição de Marco Aurélio ao cristianismo. Para o meu espírito, aí está um dos mais trágicos fatos de toda a história. É um pensamento amargo o de quão diferente poderia ter sido o cristianismo no mundo, se a fé cristã houvesse sido adotada como a religião do império sob os auspícios de Marco Aurélio em lugar de Constantino. Seria, porém, injusto para com ele, e também falso, dizer que não aproveitassem a Marco Aurélio, para legitimar a sua perseguição ao cristianismo, todas as escusas que se podem apresentar hoje para a punição da propaganda anticristã. Nenhum cristão acredita mais firmemente que o ateísmo é falso e tende à dissolução social, do que Marco Aurélio acreditava na falsidade e no caráter dissolvente do cristianismo – ele que, de todos os homens então vivos, podia ser julgado o mais capaz de apreciá-lo. Quem quer que seja que aprove a existência de penas para a expressão pública de opiniões, a menos que se superestime supondo-se mais sábio e melhor do que Marco Aurélio – mais profundamente versado na sabedoria do seu tempo, mais acima deste, pela inteligência, do que ele o foi em relação à sua época, mais fervoroso na investigação da verdade ou mais sincero na devoção a ela quando encontrada – que se abstenha dessa presunção de infalibilidade – da infalibilidade própria e da multidão – em que o grande Antonino incorreu com tão infeliz resultado.

Cientes da impossibilidade de defender o uso de penas repressivas de opiniões irreligiosas por qualquer argumento que não justifique. Marco Antonino, os inimigos da liberdade religiosa, quando seriamente acuados, aceitam ocasionalmente a justificação de Marco Aurélio, e dizem, com o Dr. Jonhson, que os perseguidores do cristianismo estavam no seu direito; que a perseguição é uma prova por que a verdade deve passar, e por que sempre passa com êxito, revelando-se as penalidades legais, afinal, impotentes contra a verdade, embora, às vezes, beneficamente eficazes contra erros perniciosos. Essa forma de argumentar em prol da intolerância religiosa é suficientemente interessante para não ser passada em silêncio.

Uma teoria que sustenta poder a verdade ser justificadamente perseguida porque talvez a perseguição não cause dano algum, não pode ser acusada de hostilidade intencional, à recepção de verdades novas. Não nos é possível, porém, aplaudir a generosidade da sua conduta para com aqueles a que somos reconhecidos por tais verdades. Revelar ao mundo alguma coisa de seu profundo interesse que antes ignorava; provar-lhe que se enganava em algum ponto vital, de interesse temporal ou espiritual, eis o mais importante serviço que um ser humano pode prestar aos seus semelhantes. E, em alguns casos, como nos dos primitivos cristãos e dos reformadores, os que acompanham o Dr. Johnson julgam esse serviço a dádiva mais preciosa que se pode fazer aos homens. Que os autores desse esplêndido benefício devam ser recompensados com o martírio, que o seu prêmio deva ser o tratamento destinado aos mais vis criminosos, não constitui, segundo essa teoria, um erro deplorável e um infortúnio, pelos quais a humanidade deveria cingir o cilício e cobrir-se de cinzas. E sim o estado de coisas normal e justo. Aquele que expõe uma verdade nova deveria, segundo essa doutrina, permanecer, como o proponente de uma nova lei que – de acordo com a legislação da Lócrida – deverá ter uma corda no pescoço a ser imediatamente puxada se a assembleia pública, ouvidas as suas razões, não adotasse, ali mesmo, a proposta. Os que defendem esse modo de tratar os benfeitores não podem ser tidos por gente que dê muito valor ao benefício. E eu creio que essa vista do assunto é, em regra, própria daqueles que acham terem sido as verdades novas desejáveis antigamente, mas que delas já tivemos o bastante.

Na realidade, porém, o dito de que a verdade sempre triunfa da perseguição é uma dessas divertidas falsidades que uns repetem após outros, até que se tornem lugares-comuns, as quais, entretanto, toda a experiência refuta. A história está repleta de derrotas da verdade pela perseguição. Ela pode ser, se não suprimida para sempre, ao menos repelida por séculos. Para falar apenas de opiniões religiosas: a Reforma manifestou-se antes de Lutero ao menos vinte vezes, e outras tantas foi abatido. Arnoldo de Brescia foi abatido. Fra Dolcino foi abatido. Savonarola foi abatido. Os albigenses foram abatidos. Os valdenses foram abatidos. Os lollards foram abatidos. Os hussitas foram abatidos. Ainda depois da era de Lutero, onde quer que se teimou na perseguição, ela logrou êxito. Na Espanha, na Itália, na Flandres, no império da Áustria, o protestantismo foi extirpado, e o mais provável é que o tivesse sido também na Inglaterra, se a Rainha Maria tivesse vivido, ou a Rainha Isabel morrido. A perseguição foi sempre bem-sucedida, salvo quando os hereges constituíam um partido forte demais para a perseguição ter eficácia. Nenhuma pessoa razoável duvidará de que o cristianismo poderia ter sido extirpado do Império Romano. Ele se estendeu e se tornou preponderante porque as perseguições foram apenas ocasionais, por períodos curtos, separados por longos intervalos de propaganda quase não perturbada. É vão sentimentalismo acreditar que a verdade, apenas como verdade, tenha algum poder inerente, negado ao erro, de prevalecer contra o cárcere e o pelourinho. Não é maior o zelo dos homens pela verdade do que o que com frequência sentem pelo erro, e uma aplicação suficiente de penalidades legais, mesmo de sociais, conseguirá, em regra, paralisar a propagação de ambos. A vantagem real da verdade consiste em que uma opinião verdadeira pode extinguir-se uma vez, duas vezes, muitas vezes, mas, no curso das idades, surgem, em regra, pessoas que a tornam a descobrir, até que coincida um desses reaparecimentos com uma época na qual, por circunstâncias favoráveis, escapa ela à perseguição, de forma a assumir um tal vulto que triunfa das posteriores tentativas de suprimi-la.

Dir-se-á que nós hoje não condenamos à morte os introdutores de opiniões novas; não somos como os nossos avós que matavam os profetas: nós até lhes construímos sepulcros. De fato nós não executamos mais os hereges, e a soma de punição penal que o sentimento moderno toleraria mesmo contra as opiniões mais malvistas não daria para as extirpar. Não nos gabemos, contudo, de que já estejamos livres dessa mácula da perseguição legal. Penas por opiniões, ao menos pelo fato de as exprimir, ainda existem em lei, e exemplos da sua imposição, ainda nesses tempos, mostram que não é inacreditável possam, um dia, ser revividas em toda a sua força. No ano de 1857, no júri de verão do Condado de Cornwall, um homem sem sorte[2], que diziam de conduta irrepreensível em todas as relações da vida, foi sentenciado a 21 meses de prisão por ter proferido, e escrito num portão, palavras ofensivas ao cristianismo.

No espaço de 30 dias, que incluem esse fato, duas outras pessoas, em Old Bailey, em ocasiões diversas[3], se viram rejeitadas como jurados, e uma delas grosseiramente insultada pelo juiz e por um conselheiro, porque haviam honestamente declarado que não nutriam crença teológica. E a um terceiro, um estrangeiro[4], pelo mesmo motivo, se denegou justiça contra um ladrão. Recusaram reparar-lhe o dano por força da doutrina legal de que ninguém pode ser admitido a depor em juízo sem professar crença num Deus (qualquer deus serve) e numa condição futura. O que equivale a declarar tais pessoas fora da lei excluídas da proteção dos tribunais, sendo possível assaltá-las impunemente se só elas, e pessoas de opiniões análogas, estiverem presentes, e devendo, ainda, ficar impune o assalto e roubo contra qualquer outra pessoa se a prova do fato depender do testemunho de tal gente. A presunção em que isso se funda é a de que carece de valor o juramento de quem não crê numa condição futura, afirmativa indicadora de muita ignorância de história nos que a fazem, desde que é historicamente verdadeiro terem sido infiéis de outras épocas, em grande proporção, homens de integridade e honra eminentes. E não a defenderia ninguém que tivesse a menor ideia de quantas pessoas das de maior prestígio no mundo, quer pelo talento quer pela virtude, são conhecidas, ao menos na intimidade, como incrédulas. Ademais, essa norma é suicida e derrui seus próprios alicerces. Sob o pretexto de que ateus devem ser mentirosos, ela aceita o testemunho de todos os ateus que estejam prontos a mentir, rejeita apenas o dos que afrontam a desonra de confessar publicamente um credo odiado de preferência a afirmar uma falsidade. Uma norma assim absurda por si mesma, absurda na medida em que visa o objetivo que se lhe atribui, só pode ser mantida em vigor, na verdade, como uma divisa de ódio, relíquia da perseguição – perseguição também, com a peculiaridade de que a condição para sofrer é estar claramente provado não a merecer. Essa norma, e a teoria que implica, são pouco menos insultuosas aos crentes do que aos infiéis. Se aquele que não crê numa condição futura necessariamente falta à verdade, segue-se que apenas o medo do inferno impede os que creem de mentir, se impede. Não faremos aos autores e inspiradores de tal norma a injúria de supor que tal concepção por eles formada da virtude cristã seja modelada pela sua consciência.

Trata-se, na realidade, de farrapos e restos de perseguição, e pode-se pensar não sejam tanto uma expressão do desejo de perseguir quanto um exemplo da debilidade muito frequente no espírito dos ingleses, que os faz sentir um prazer absurdo na asserção de um mau princípio que eles já não são bastante maus para desejarem efetivamente levar à prática. Infelizmente, todavia, o estado do espírito público não é de molde a assegurar continuem suspensas, como aconteceu pelo espaço de uma geração, as piores formas de perseguição legal. Na época presente, tanto agitam a quieta superfície da rotina as tentativas de introduzir novos benefícios como as de ressuscitar velhos males. O que se gaba hoje como a revivescência da religião, é também, em espíritos estreitos e incultos, sempre, a revivescência da carolice. E onde existe nos sentimentos populares o vigoroso e constante fermento de intolerância que sempre houve nas classes médias deste país, faz-se necessário muito pouco para provocar a perseguição ativa daqueles que o povo nunca deixou de julgar objetos adequados de perseguição[5]. Porque é isto – são as opiniões que os homens entretêm e os sentimentos que nutrem a respeito dos que negam as crenças consideradas importantes, que torna este país uma terra sem liberdade mental. O principal dano das penalidades legais é que, como o passado nos mostrou, elas fortalecem o estigma social. É esse estigma que é de real eficiência, e de tanta eficiência que professar opiniões socialmente estigmatizadas é na Inglaterra muito menos comum do que em outros países confessar opiniões com risco de punição legal. A opinião pública é, nessa matéria, tão eficaz como a lei, quanto àqueles que não possuam condições pecuniárias para os tornar independentes da boa vontade de alheia. Tanto vale aprisionar alguém como privá-lo dos meios de ganhar o seu pão. Os que têm o pão assegurado, e não desejam favores dos homens no poder, ou de grupos sociais, ou do público, nada têm a temer da confissão franca de quaisquer opiniões senão que deles pensem e falem mal; e para suportar isso não se requer um padrão muito heroico. Não há motivo para qualquer apelo "ad misericordiam" em favor de tais pessoas. Entretanto, embora não façamos hoje tanto mal aos que pensam diferentemente de nós como era antigamente o nosso costume, a nós mesmos talvez ainda façamos o mesmo mal. Sócrates foi morto, mas a filosofia socrática ergueu-se como o sol no céu, espalhando a sua luz por todo o firmamento intelectual. Os cristãos foram lançados aos leões, mas a Igreja cristã cresceu como árvore ampla e majestosa, ultrapassando as outras mais velhas, porém menos vigorosas, e ocultando-as com a sua sombra. A nossa intolerância meramente social não mata ninguém, não desarraiga opiniões, mas induz gente a disfarçá-las ou a abster-se de esforços ativos por as difundir. No nosso meio, as opiniões heréticas não apresentam ganhos perceptíveis, ou mesmo perdem terreno em cada década ou geração. Nunca espalham o fogo ao longe e ao largo, mas ficam a lavrar sob as cinzas, nos círculos estreitos de pessoas estudiosas e pensantes nos quais se originaram, sem jamais chegarem a iluminar os negócios humanos gerais com qualquer luz, verdadeira ou ilusória. E, assim, apenas prolongam um estado de coisas, que para alguns espíritos é muito satisfatório, visto que, sem o desagradável processo de aprisionar ou multar, consegue manter livres de perturbações exteriores todas as opiniões dominantes, enquanto não interdiz de forma absoluta o exercício da razão por parte dos dissidentes afligidos da moléstia de pensar. Um plano conveniente para haver paz no mundo intelectual, e para conservar todas as coisas bem direitinho como estão. Mas o preço pago por essa espécie de pacificação das inteligências é o sacrifício completo, no espírito humano, da coragem moral. Um estado de coisas em que os intelectos mais ativos e investigadores julgam conveniente guardar para si os princípios e fundamentos gerais das suas convicções, e procuram adaptar as suas conclusões o quanto possam, naquilo que endereçam ao público, a premissas que intimamente repelem, não pode produzir os caracteres abertos e intrépidos, e as inteligências lógicas e sólidas, que adornaram antigamente o mundo pensante. A espécie de homens com que se pode contar nesse regime é a dos puros conformistas com o lugar-comum, ou a de oportunistas para com a verdade, cujos argumentos, em todas as matérias importantes, visam o público, não sendo os que eles convenceram. Aqueles que escapam a essa alternativa procedem, ainda assim, a uma limitação do seu pensamento e do seu interesse, restringindo-os a coisas de que se possa falar sem ser preciso aventurar-se na região dos princípios – isto *é*, a pequenos assuntos, de natureza prática, que, se os espíritos se fortalecessem e ampliassem, viriam por si mesmos à justa solução, mas que, até lá, jamais serão efetivamente regulados. Enquanto isso, o que fortaleceria e ampliaria os espíritos humanos, a especulação livre e audaz, é abandonada.

Aqueles, a cujos olhos essa atitude reticente dos heréticos não é um mal, deveriam meter em conta, em primeira plana, que, em consequência disso, não há nenhuma discussão leal e completa de opiniões heréticas, e que, dentre elas, as que não poderiam resistir a uma tal discussão, não desaparecem apesar de terem sua divulgação proibida. Não são os espíritos heréticos que mais se corrompem pela ação do anátema lançado a toda investigação que não finde por conclusões ortodoxas. O maior dano, sofrem-no os que não são heréticos, aos quais se embaraça todo o desenvolvimento mental, e cuja razão se acovarda de medo da heresia. Quem pode calcular o que se perde com a multidão de inteligências, a coexistirem com caracteres tímidos, que não se aventuram a incorporar-se em nenhuma corrente arrojada, vigorosa e independente, de opinião, com o temor de que ela os leve a alguma coisa que possa ser tachada de irreligiosa ou imoral? Entre essas pessoas podemos entrever, ocasionalmente, um ou outro homem de profunda consciência ou de entendimento sutil e refinado, que gasta a vida a sofisticar com um intelecto a que não pode impor silêncio, que esgota os recursos da ingenuidade tentando conciliar as sugestões da consciência e da razão com a ortodoxia, o que já no fim talvez não tenha mais êxito em realizar. Ninguém será grande pensador sem reconhecer que o seu primeiro dever como tal é seguir o seu intelecto a quaisquer conclusões a que ele conduza. A verdade ganha mais com os erros de alguém que, com o devido estudo e preparo, pensa por si, do que com as opiniões verdadeiras daqueles que as professam apenas porque não suportam a atividade do seu próprio pensamento. Não que a liberdade de opinião seja requerida, unicamente, ou principalmente, para formar grandes pensadores. Ao contrário, ela é tão, ou ainda mais indispensável para habilitar os homens medianos a atingirem a altura mental de que sejam capazes. Tem havido, e pode voltar a haver, grandes pensadores isolados, numa atmosfera de escravidão mental generalizada. Mas nunca houve, e jamais haverá, numa tal atmosfera, um povo intelectualmente ativo. Onde um povo se haja aproximado transitoriamente desse caráter, fê-lo por ter abandonado, algum tempo, o pavor da especulação heterodoxa. Onde haja uma convenção tácita de que não se deve discutir princípios, onde se tenha por fechada a discussão das questões mais importantes que podem ocupar a humanidade, não é de esperar se encontre esse elevado nível médio de atividade mental que tornou tão notáveis alguns períodos da história. Sempre que a controvérsia evitou os assuntos suficientemente importantes para excitar entusiasmo, o espírito popular permaneceu estagnado, e não se verificou o impulso que eleva mesmo pessoas da mais vulgar inteligência a algo da dignidade de seres pensantes. Tivemos um exemplo disso nas condições da Europa logo após a Reforma. Outro, ainda que limitado ao continente e a uma classe mais culta, no movimento especulativo da última metade do século XVIII. E um terceiro, que durou ainda menos tempo, na fermentação intelectual da Alemanha, no período de Goethe e de Fichte. Esses períodos diferiram grandemente nas opiniões particulares que desenvolveram. Mas foram semelhantes em que nos três se quebrou o jugo da autoridade. Em cada um deles, um velho despotismo mental havia sido derribado, e nenhum novo tomara o seu lugar. O impulso dado nesses três períodos fez da Europa o que é hoje. Cada aperfeiçoamento concreto verificado ou no espírito humano ou nas instituições pode ser remontado a um ou outro deles. Por algum tempo, houve aparências de quase esgotamento dos três impulsos. Na verdade, não podemos esperar nenhum ímpeto novo vigoroso enquanto não afirmamos, outra vez, a nossa liberdade mental.

Passemos, agora, à segunda parte do argumento, abandonando a suposição da falsidade de alguma das opiniões aceitas. Presumamo-las verdadeiras. E investiguemos o mérito da maneira própria para sustentá-las quando não se averigua livre e abertamente a sua verdade. Embora o portador de uma opinião vigorosa não admita de boa vontade a possibilidade de ser falsa, deve ele mover-se pela ponderação de que, por mais verdadeira que seja, se não for ampla, frequente e intrepidamente discutida, será sustentada como um dogma morto, não como verdade viva.

Há uma classe de pessoas (felizmente um pouco menos numerosas que antes) que se satisfazem com a aquiescência firme de alguém ao que elas têm por verdadeiro, mesmo que esse alguém não conheça, de forma alguma, os fundamentos da opinião, nem possa defendê-la com tenacidade contra as mais superficiais objeções. Essas pessoas, se podem obter o ensino dos seus credos pela autoridade, vêm naturalmente a pensar que nenhum bem, antes algum mal, provirá da permissão de discuti-lo. Quando a sua influência prevalece, torna-se quase impossível repelir sábia e refletidamente a opinião aceita, embora ainda se possa repeli-la precipitada e ignorantemente. Pois cortar a discussão inteiramente é raras vezes possível, e quando ela, porventura, logra introduzir-se, as crenças não fundadas em convicções são susceptíveis de abalo ante a mais ligeira sombra de argumento. Presumir, contudo, reconhecendo-se essa possibilidade, que a opinião verdadeira habita o espírito, como preconceito porém, isto é, como opinião independente de argumento, e à prova de argumento, não constitui a maneira pela qual a verdade deve ser apreendida por ser racional. Isso não é conhecer a verdade. A verdade assim possuída é apenas uma superstição a mais, acidentalmente ligada a palavras que enunciam uma verdade.

Se o intelecto e o juízo humanos devem ser cultivados, coisa que pelo menos os protestantes não negam, sobre o que poderiam essas faculdades exercitar-se mais apropriadamente do que sobre aquelas coisas que interessam tanto que se considera necessário formar opiniões a seu respeito? Se o exercício do entendimento consiste mais numa coisa do que noutra, será seguramente em aprender os fundamentos das próprias opiniões. Qualquer coisa que se creia naqueles assuntos em que importa crer retamente deve ser defendida ao menos contra as objeções vulgares. Mas talvez se diga: "Que se *ensinem* os fundamentos das opiniões. Daí não se segue que, pelo fato de nunca se ter ouvido discuti--las, elas sejam, necessariamente, apenas papagueadas. Os que aprendem geometria não se limitam a entregar os teoremas aos cuidados da memória, mas também compreendem e aprendem as demonstrações; e seria absurdo dizer que permaneçam na ignorância dos fundamentos das verdades geométricas porque nunca ouviram alguém negá-las e tentar provar o contrário". Seguramente. E tal ensino basta num assunto como a matemática, no qual nada há a ser dito, absolutamente, do lado errado da questão. A peculiaridade da prova das verdades matemáticas é que toda a argumentação é de um lado só. Não há objeções nem respostas a objeções. Em todo assunto, porém, em que é possível diferença de opiniões, a verdade depende de um balanço a ser dado entre duas séries de razões opostas. Mesmo na filosofia natural, há sempre alguma outra explicação possível dos mesmos fatos, alguma teoria geocêntrica em lugar da heliocêntrica, algum flogístico em lugar do oxigênio, e se tem de mostrar por que essoutra teoria não pode ser verdadeira. E, até que se mostre, e até que saibamos como se mostra, não compreendemos os fundamentos da nossa opinião. E, quando nos voltamos para assuntos infinitamente mais complicados, como religião, política, relações sociais, ocupações da vida, três quartos dos argumentos em prol de cada opinião discutida consistem em destruir aparências favoráveis a alguma opinião diversa. O segundo orador da Antiguidade deixou registrado que sempre estudava a posição do adversário com a mesma intensidade, se não maior, que a sua própria. O que Cícero praticou como método forense requer imitação da parte de todos os que estudam qualquer assunto visando chegar à verdade. Quem conhece do caso apenas o seu lado, pouco conhece dele. As suas razões podem ser boas, e é possível que ninguém tenha conseguido refutá-las. Todavia, se ele é igualmente incapaz de refutar as razões do lado oposto, se pelo menos não as conhece, falta-lhe fundamento para preferir uma das duas opiniões. A sua atitude racional seria a suspensão do juízo. A menos que se resigne a essa atitude, ele ou se deixa guiar pela autoridade, ou adota, como a generalidade das pessoas, o lado por que sente maior inclinação. Nem é bastante ouvir dos professores, apresentados como estes os estabelecem, os argumentos dos adversários, acompanhados do que é oferecido como refutações. Essa não é a maneira de fazer justiça a esses argumentos, nem a de os trazer ao contato real do espírito. É preciso poder ouvi-los dos que neles acreditam efetivamente, dos que os defendem com seriedade, dos que por eles fazem o melhor que podem. É preciso conhecê-los na forma mais plausível, e mais persuasiva, sentir toda a força da dificuldade que a verdadeira vista do assunto encontra e tem de vencer. Aquela parte da verdade que enfrenta e remove esse obstáculo jamais será apreendida de outra maneira. Noventa e nove por cento dos chamados homens instruídos se acham nessa condição deficiente – mesmo os que podem argumentar com fluência em favor das suas opiniões. A sua conclusão pode ser verdadeira, mas poderia ser falsa por algo que ignoram; nunca se colocaram na posição mental dos que pensam diferentemente deles, nem jamais consideraram o que essas pessoas possam ter a dizer; consequentemente, não conhecem, em nenhum sentido próprio, a doutrina que professam. Não conhecem aquelas partes da doutrina que explicam e justificam as restantes; as considerações que mostram ser um fato, que à primeira vista colide com outro, conciliável com este; ou que, de duas razões aparentemente fortes, uma, e não a outra, deve ser preferida. São estranhos a toda essa parte da verdade que serve de fiel da balança e determina a decisão de um espírito bem-informado. Nem é ela jamais realmente conhecida senão pelos que atenderam, igual e imparcialmente, aos dois lados, e se esforçaram por examinar à luz mais forte as razões de ambos. Essa disciplina é tão essencial a uma efetiva compreensão dos assuntos morais e humanos que, na falta de contraditores das verdades importantes, se faz indispensável imaginá-los, e atribuir-lhes os mais fortes argumentos que o mais hábil advogado do diabo poderia maquinar.

Pode-se supor que um inimigo da livre-discussão diga, para diminuir o vigor dessas considerações, que à humanidade em geral não é preciso conhecer e compreender tudo que possa ser dito contra ou a favor das suas opiniões, por filósofos e teólogos. Que não *é* necessário aos homens comuns poderem expor todas as adulterações e falácias de um antagonista engenhoso. Que basta haver sempre alguém capaz de as responder, de modo a não ficar sem refutação nada que possa desencaminhar pessoas não instruídas. Esses espíritos simples, havendo aprendido os fundamentos óbvios das verdades a eles inculcadas, podem confiar na autoridade quanto ao resto, e, cientes de que não possuem nem conhecimento nem talento para resolver em todas as dificuldades apresentáveis, repousar na segurança de que as que se apresentaram foram, ou podem ser, respondidas pelos especialmente preparados para a tarefa.

Concedendo a essa vista do assunto o máximo que possa ser reivindicado pelos mais facilmente satisfeitos com a soma de compreensão da verdade que deve acompanhar a crença nela – ainda assim absolutamente não se enfraquece o argumento em prol da liberdade de discussão. Porque mesmo essa doutrina reconhece que a humanidade deve ter uma segurança racional de que todas as objeções foram satisfatoriamente respondidas. E como serão respondidas, se o que deve ser respondido não é dito? Ou como pode a resposta ser tida por satisfatória, se não se dá aos que objetam a oportunidade de mostrar que ela não satisfaz? Se não o público, ao menos os filósofos e teólogos, a que cabe resolver as dificuldades, devem familiarizar-se com elas na sua forma mais embaraçosa. E isso não pode verificar-se sem que sejam livremente levantadas, e sob a luz mais vantajosa que permitam. A Igreja Católica tem um método próprio para se haver com esse difícil problema. Ela separa completamente aqueles a que tolera receber as suas doutrinas por convicção, dos que devem aceitá-las em confiança. Nem a uns nem a outros, na verdade, se permite qualquer escolha a respeito do que aceitarão; mas ao clero, enquanto ao menos se pode confiar plenamente nele, se admite, e é considerado meritório, que conheça os argumentos oponíveis a fim de os responder, podendo, portanto, ler livros heréticos – o que para os leigos demanda uma licença especial, difícil de obter. Essa doutrina reconhece como benéfico aos mestres o conhecimento da posição do inimigo, mas encontra meios, compatíveis com isso, de negá-lo ao resto do mundo. Concede assim à *élite* mais cultura mental, embora não mais liberdade mental, do que à massa. Com esse expediente, ela logra êxito na obtenção da espécie de superioridade mental que os seus propósitos exigem, pois que, embora cultura sem liberdade mental jamais tenha produzido um espírito largo e livre, pode, entretanto, suscitar um advogado de uma causa, inteligente "nisi prius". Todavia, em países protestantes, se denega esse recurso, visto que os protestantes sustentam, ao menos em teoria, que a responsabilidade pela escolha de religião deve ser suportada inteiramente pela consciência de cada um, não podendo ser lançada sobre os mestres. Ademais, no presente estado do mundo, não se pode praticamente evitar que as pessoas sem instrução venham a conhecer os escritos que a gente culta lê. Se os mestres devem estar bem a par de tudo que é obrigação sua saber, então deve haver liberdade para escrever sobre todas as coisas, e para publicar sem restrições o que quer que seja.

Se, todavia, a perniciosa operação de suprimir o livre-debate, quando as opiniões aceitas são verdadeiras, se restringisse a deixar os homens na ignorância dos fundamentos das suas opiniões, poder-se-ia pensar que, se isso é um dano intelectual, não o é moral, e não atinge o mérito das opiniões quanto à sua influência sobre o caráter. O fato, contudo, é que na ausência de debate, não apenas se esquecem os fundamentos das opiniões, mas ainda, muito frequentemente, o próprio significado delas. As palavras que as exprimem cessam de sugerir ideias, ou sugerem só uma pequena parte das que originariamente se destinavam a comunicar. De uma concepção enérgica e de uma crença viva, sobram apenas umas poucas frases sabidas de cor, ou, se sobra mais, é a casca, o invólucro somente, do significado, que se retém, perdendo-se a essência mais pura. Jamais será excessiva a seriedade com que se estude e medite o grande capítulo que esse fato ocupa e enche na história humana. Ele é ilustrado pela experiência de quase todas as doutrinas éticas e de quase todos os credos religiosos.

Estes e aquelas são repletos de sentido e de vitalidade para os que lhes deram origem e para os discípulos diretos desses fundadores. O seu significado continua sentido com um vigor intacto, e talvez atue em consciências ainda mais inspiradas dele, enquanto dura a luta por dar à doutrina ou credo ascendência. Por fim, ou a crença que assim luta prevalece e se torna a opinião geral, ou o seu progresso se paralisa: ela guarda o terreno conquistado, mas cessa de se expandir. Quando qualquer desses resultados se torna visível, a controvérsia amaina e gradualmente se extingue. A doutrina tomou o seu lugar, se não como opinião dominante, então como das seitas ou divisões de opinião admitidas. Os que a sustentam, geralmente a herdaram, não a adotaram. E a conversão de uma dessas doutrinas a outra, constituindo, agora, um fato excepcional, ocupa pequeno lugar nos pensamentos dos que as professam. Ao invés de se conservarem, como no princípio, em constante alerta, seja para se defenderem contra o mundo, seja para o trazerem a si, acomodaram-se, e nem prestam atenção aos argumentos contra o seu credo deixando-o sem socorro, nem perturbam os dissidentes (se os há) com argumentos favoráveis à opinião combatida. Desse momento data, em regra, o declínio do poder vivo da doutrina. Ouvimos, muitas vezes, os mestres de todos os credos lamentarem a dificuldade de manter nos espíritos crentes uma compreensão viva da verdade nominalmente reconhecida, de modo que ela penetre nos sentimentos e adquira um real domínio sobre a conduta. Essa lamentação não se verifica enquanto o credo combate pela sua existência. Ainda os mais fracos lutadores sabem e sentem, então, o que é que defendem, e qual a diferença entre a sua e as outras doutrinas. E nesse período da existência de cada credo encontram-se não poucas pessoas que tenham vivido os princípios fundamentais do credo em todas as formas do pensamento, que os tenham pesado e considerado em todos os seus aspectos importantes, e experimentado o efeito pleno sobre o caráter que a crença nessa doutrina deve produzir num espírito perfeitamente imbuído dela. Mas quando ela se torna um credo hereditário, recebido passivamente, e não ativamente, quando o espírito não é mais compelido, no grau primitivo, a exercitar os seus poderes vitais no trato dos problemas que a crença lhe suscita, tende-se, então, a esquecer tudo dela, exceto os formulários, ou a dar-lhe um assentimento néscio e entorpecido. Como se aceitá-la em confiança dispensasse a necessidade de vivê-la amplamente na consciência, ou de submetê-la à prova da experiência pessoal. E ela acaba por perder quase toda a ligação com a vida interior do ser humano que a adota. Veem-se, então, os casos, tão frequentes nesta época que quase formam a maioria, nos quais o credo permanece, por assim dizer, exterior ao espírito, incrustando-o e petrificando-o contra todas as outras influências endereçadas às partes mais elevadas da nossa natureza, patenteando o seu poder pela intolerância ao aparecimento de qualquer convicção nova e viva, nada fazendo, porém, ele próprio, em favor do espírito e do coração, salvo montar sentinela junto a eles para os manter vazios.

Até que ponto doutrinas intrinsecamente adequadas a produzir a mais profunda impressão no espírito podem permanecer neste como crenças mortas, sem se realizarem jamais na imaginação, no sentimento ou na razão, exemplifica-se na maneira pela qual a maioria dos crentes apreende as doutrinas do cristianismo. Por cristianismo quero significar o que tal é julgado por todas as igrejas e seitas - as máximas e preceitos contidos no Novo Testamento. Essas máximas e preceitos são tidos por sagrados, e aceitos como leis, por todos os que se declaram cristãos. Entretanto, estará longe de exagero afirmar que nem um único cristão em mil orienta a sua conduta individual por essas leis, ou nela as põe à prova. O padrão por que se guia é o costume da sua nação, da sua classe ou da sua confissão religiosa. Ele tem, assim, de um lado, uma coleção de máximas éticas que crê lhe provêm de uma sabedoria infalível como normas para o seu governo; de outro, uma série de juízos e práticas quotidianas, que coincidem, até certo ponto, com algumas daquelas máximas, menos com outras, se colocam em oposição direta ainda a outras, e são, em conjunto, um compromisso entre o credo cristão e as sugestões da vida mundana. Ao primeiro desses padrões presta a sua homenagem, ao segundo a sua efetiva obediência. Todos os cristãos acreditam que os bem-aventurados são os pobres, os humildes e os maltratados pelo mundo; que é mais fácil a um camelo passar pelo fundo de uma agulha que a um rico entrar no Reino dos Céus; que não devem julgar, para não serem julgados; que não devem jurar de forma alguma; que devem amar o seu próximo como a si mesmos; que, se alguém levar o seu manto, devem dar-lhe o casaco também; que não devem fazer projetos para o dia seguinte; que, se fossem perfeitos, venderiam tudo quanto possuem, e dá-lo-iam aos pobres. Eles não são insinceros quando afirmam crer nisso tudo. Eles creem-no da forma por que o povo crê no que sempre ouviu louvar e jamais discutir. Mas, no sentido daquela crença viva que regula a conduta, creem nessas doutrinas precisamente apenas até o ponto em que é usual agir segundo elas. As doutrinas na sua integridade são úteis para o ataque aos adversários, e entende-se que elas devem ser apresentadas (quando possível) como razões para o que se julga louvável dentre o que se faz. Se alguém, todavia, lhes recordasse que essas máximas requerem um infinito de coisas que jamais sequer pensaram em fazer, não ganharia senão ver-se classificado entre aqueles caracteres impopularíssimos que afetam ser melhores do que os outros. As doutrinas não têm influência sobre os crentes vulgares - são impotentes em relação aos seus espíritos. Do hábito lhes proveio o respeito pelo som das doutrinas, mas nenhum sentimento que se estenda das palavras às coisas significadas, e force o espírito a integrá-las em si, adapta essas pessoas às fórmulas. Todas as vezes que a sua conduta está em questão, olham para o Sr. A e para o Sr. B procurando orientar-se sobre o ponto a que devem levar a obediência a Cristo. Entretanto, podemos estar bem certos de que com os cristãos primitivos a coisa não foi assim, mas de bem diversa forma. Houvesse sido assim, e o cristianismo nunca se teria alçado, de uma obscura seita dos desprezados hebreus, à religião do Império Romano. Quando os seus inimigos diziam - "olhai como esses cristãos se amam uns aos outros (observação imprópria hoje para qualquer um), os cristãos seguramente sentiam o significado da sua crença com muito mais vida que os seus correligionários de qualquer época posterior. E, provavelmente, é sobretudo a isso que se deve faça hoje o cristianismo tão pequenos progressos na expansão do seu domínio, e esteja ainda, depois de dezoito séculos, quase confinado aos europeus e descendentes de europeus. Ainda com os estritamente religiosos, que falam muito seriamente das suas doutrinas e lhes emprestam mais significado que o povo em geral, com frequência acontece que a parte assim relativamente ativa no seu espírito é a que procede de Calvino ou de Knox, ou de alguma pessoa como essas, de caráter muito mais próximo do deles. Os ditos de Cristo coexistem passivamente com os desses outros no espírito de tais crentes, não produzindo quase nenhum efeito além do que é causado pela audição de palavras tão amáveis e tão meigas. Há muitas razões, sem dúvida, para que as doutrinas características de uma seita retenham mais da sua vitalidade que as comuns a todas as seitas reconhecidas, e para que os mestres se esforcem mais por conservar vivo o sentido delas. Mas uma das razões é certamente que as doutrinas particulares são as mais questionadas, e se têm de defender mais vezes contra adversários. Mestres e discípulos se põem a dormir no seu posto tão logo não haja inimigo em campo.

Falando de uma maneira geral, isso é ainda verdade a respeito de todas as doutrinas tradicionais – das de prudência e conhecimento da vida também, tanto quanto das de moral e religião. Todas as línguas e literaturas estão cheias de observações gerais sobre a vida, sobre o que ela é e sobre como nela se conduzir – observações que todos conhecem, que todos repetem, ou ouvem com aquiescência, que são acolhidas como truísmos, e de que, contudo, a mor parte das pessoas apreendem verdadeiramente o sentido, pela primeira vez, quando a experiência, geralmente de natureza dolorosa, o torna uma realidade para elas. Quantas vezes, ao sofrer uma desgraça ou contrariedade imprevista, uma pessoa se lembra de algum provérbio ou dito, familiar a ela toda a sua vida, cujo significado, se o houvesse sentido antes, alguma vez, como o sente agora, a teria salvo da calamidade. Há para isso, de fato, razões a mais da ausência de discussão: há muitas verdades cujo pleno significado não pode ser vivamente percebido sem que a experiência pessoal no-lo tenha feito presente. Mas muito mais se compreenderia dele, e essa compreensão se imprimiria muito mais profundamente no espírito, se a houvesse precedido o costume de ouvi-lo discutido, pró e contra, por gente que o compreendia. A fatal tendência humana para renunciar ao pensamento a respeito do que há muito não é duvidoso, é a causa da metade dos seus erros. Foi feliz o escritor contemporâneo que se referiu ao "sono profundo de uma opinião firmada".

Mas como?! - pode-se perguntar - é a ausência de unanimidade uma condição imprescindível do conhecimento verdadeiro? Faz-se mister que uma parte dos homens persista no erro, para habilitar alguém a perceber vivamente a verdade? Cessa uma crença de ser real e vital tão logo se veja geralmente aceita, e jamais se compreende e sente completamente uma proposição sem que alguma dúvida a seu respeito remanesça? Logo que os homens hajam unanimemente aceito uma verdade, perece ela dentro deles? A finalidade mais alta e o melhor resultado da inteligência aperfeiçoada, pensou-se até aqui, consiste na união cada vez maior da humanidade no reconhecimento de todas as verdades importantes; e só dura o acordo enquanto não alcançado o seu objetivo? Perecem os frutos da conquista pelo perfeito acabamento da vitória?

Não afirmo tal coisa. À medida que a humanidade se aperfeiçoe, o número das doutrinas não mais discutidas ou postas em dúvida crescerá e o bem-estar humano quase pode ser medido pelo número e peso das verdades que atingiram o ponto de não ser mais contestadas. A cessação de séria controvérsia, numa questão após outra, é um dos incidentes necessários da consolidação da opinião - consolidação tão salutar no caso de opiniões verdadeiras quanto nociva no de errôneas. Mas, ainda que esse gradual desaparecimento dos claros na uniformidade da opinião seja necessário em ambos os sentidos do termo, isto é, a um tempo inevitável e indispensável, não somos obrigados a concluir daí que todos os seus efeitos devam ser benéficos. A perda de tão importante auxílio à apreensão viva e inteligente da verdade, qual seja o proporcionado pela necessidade de explaná-la aos antagonistas, ou de defendê-la contra eles, embora insuficiente para pesar mais que o benefício do seu universal reconhecimento, não é um prejuízo insignificante. Confesso que gostaria de ver, onde não é mais possível tal vantagem, os condutores dos homens esforçando-se por encontrar um sucedâneo para ela - alguma invenção que faça as dificuldades do problema tão presentes à consciência dos homens como seriam se produzidas pela pressão de um campeão antagonista ansioso por os converter.

Mas, ao invés de procurarem invenções com esse propósito, perderam as que anteriormente possuíam. A dialética socrática, tão magnificamente exemplificada nos diálogos platônicos, foi uma invenção dessa espécie. Constituía, essencialmente, uma discussão negativa das grandes questões da filosofia e da vida, orientada com consumada perícia, no sentido de convencer alguém, que se limitara a acolher os lugares comuns da opinião corrente, de que não compreendia o assunto – não emprestava, até então, significado definido às doutrinas professadas; a fim de que, tornando-o ciente da sua ignorância, o pudesse pôr no caminho de uma crença estável, que repousasse numa apreensão clara tanto do significado das doutrinas como da sua prova. As disputas da escola na Idade Média tinham um objetivo algo semelhante. Destinavam-se a assegurar que o discípulo compreendesse a própria opinião e, por correlação necessária, a opinião oposta, podendo demonstrar os fundamentos de uma e confutar os da outra. Essas últimas discussões tinham, na verdade, o incurável defeito de serem as premissas postas tiradas da autoridade, não da razão; e, como disciplina mental, eram, a todos os respeitos, inferiores à poderosa dialética que formou os intelectos dos *Socratici viri*. Mas o espírito moderno deve muito mais a ambas do que se quer geralmente admitir, não contando os modos atuais de educação nada que supra, em toda a plenitude, a falta de uma ou de outra. Uma pessoa que deriva toda a sua instrução de professores ou de livros, ainda que escape à tentação habitual de se contentar com o simples acúmulo de noções, não é obrigada a ouvir ambos os lados. E assim se está longe, mesmo entre pensadores, da frequência no conhecimento das duas faces de uma questão. E a parte mais fraca do que cada um diz em defesa de uma opinião sua é a que se pretende réplica aos adversários. É feitio da época presente depreciar a lógica negativa – essa que aponta debilidades na teoria ou erros na prática, sem estabelecer verdades positivas. Tal crítica negativa seria, sem dúvida, bastante pobre como resultado definitivo. Como processo, porém, de atingir uma convicção ou um conhecimento positivos, dignos do nome, nunca se dirá demais do seu valor. E, enquanto não nos prepararmos sistematicamente para o seu uso, haverá poucos grandes pensadores, e uma baixa média geral de inteligência, em quaisquer ramos especulativos que não sejam a matemática e a física. Em qualquer outra matéria, opinião alguma merece o nome de conhecimento senão na medida em que aquele que a professa tenha atravessado, por si, ou por imposição alheia, o mesmo processo mental que lhe seria exigido numa controvérsia ativa com antagonistas. Isso, pois, que, ausente, se revela tão indispensável, mas também tão difícil, criar, como é absurdo, mais do que absurdo, repelir quando espontaneamente se oferece! Se existem pessoas que contestam uma opinião aceita, ou que o farão se a lei ou a opinião permitirem, sejamos gratos a elas, tenhamos os nossos espíritos abertos à compreensão do que digam, e rejubilemo-nos por haver quem por nós faça o que de outra forma devemos fazer com muito maior trabalho, se alguma estima alimentamos pela certeza e pela vitalidade das nossas convicções.

Ainda resta falar de uma das principais causas do caráter vantajoso da diversidade de opiniões, causa que continuará a atuar até que a humanidade chegue a um estado de adiantamento intelectual que, no presente, parece uma incalculável distância. Consideramos até aqui, apenas, duas possibilidades: que a opinião aceita seja falsa e, consequentemente, alguma outra opinião verdadeira; ou que seja verdadeira a opinião aceita, caso em que um conflito com o erro oposto é essencial a uma apreensão clara e a um sentimento profundo da sua verdade. Existe, porém, um caso mais comum: ao invés de uma das doutrinas em conflito ser verdadeira e a outra falsa, partilham as duas entre si a verdade, e a opinião não conformista é necessitada para completar a verdade de que a doutrina aceita incorpora apenas parte. As opiniões populares, sobre assuntos não evidentes aos sentidos, são muitas vezes verdadeiras, mas raras vezes, ou nunca, completamente verdadeiras. São uma parte da verdade – às vezes uma parte maior, às vezes menor, mas sempre exagerada, adulterada e desligada das verdades pelas quais se deve acompanhar e limitar. As opiniões heréticas, de outro lado, são, geralmente, algumas dessas verdades suprimidas ou negligenciadas, que quebram as cadeias que as prendem, e procuram reconciliar-se com a verdade contida na opinião comum, ou afrontá-la como inimiga apresentando-se, com análogo exclusivismo, como a verdade completa. O último caso é, até aqui, o mais frequente, da mesma forma que no espírito humano o unilateralismo constituiu sempre a regra, é o multilateralismo a exceção. Por isso, mesmo nas revoluções de opinião, uma parte da verdade, em regra, decai, enquanto a outra ascende. Mesmo o progresso que deveria somar uma parte à outra, na maior parte das vezes apenas substitui uma verdade parcial e incompleta por outra verdade parcial e incompleta, consistindo o melhoramento em que o novo fragmento da verdade é mais necessitado pela época, é mais adaptado às suas exigências, que o que ele desloca. Dado esse caráter parcial das opiniões dominantes, ainda quando repousam sobre uma base verdadeira, cada opinião que incorpora algo da parte da verdade omitida pela opinião corrente deve ser considerada preciosa, qualquer que seja a quantidade de erro e confusão com que a verdade aí se mescle. Nenhum julgador prudente dos negócios humanos sentir-se-á obrigado a se indignar, porque aqueles que forçam a nossa atenção para verdades em que devíamos ter reparado de outra maneira, passam por alto sobre algumas das verdades, que enxergamos. Antes pensará que, na medida da unilateralidade de uma verdade popular, é preferível conte a verdade impopular defensores também unilaterais, pois esse é, em regra, o meio mais enérgico e próprio para compelir a atenção relutante a se voltar para o fragmento de sabedoria que se proclama a sabedoria inteira.

Assim, no século XVIII, quando quase todas as pessoas instruídas, e todas as não instruídas que as primeiras conduziam, admiravam perdidamente tudo a que se chama civilização, e as maravilhas da moderna ciência, literatura e filosofia, e, exagerando muito o grau de diferença entre o homem moderno e o antigo, alimentavam a crença de que toda essa diferença era em seu favor - com que salutar abalo explodiram em seu meio os paradoxos de Rousseau! Foram granadas que deslocaram a massa de opinião unilateral e forçaram os seus elementos a se reajustarem em melhor forma e com ingredientes novos. As opiniões correntes não estavam, em conjunto, mais longe da verdade que as de Rousseau; ao contrário, estavam mais próximas: continham mais verdade positiva e muito menos erro. Não obstante, na doutrina de Rousseau repousa, e com ela desceu o rio da opinião, considerável soma precisamente daquelas verdades de que a opinião popular carecia. E essas constituíram o depósito que ficou ao baixarem as águas. A dignidade superior da vida simples, o efeito de enervamento e desmoralização produzido pelas peias e hipocrisias da sociedade artificial, são ideias que jamais se ausentaram inteiramente dos espíritos cultivados desde Rousseau. Elas provocarão, com o tempo, as devidas consequências, embora na atualidade demandem defesa tão resoluta como outrora, e defesa por atos, pois as palavras esgotaram, no assunto, o seu poder.

Por outro lado, em política, é quase um lugar-comum que um partido de ordem ou estabilidade, e um partido de progresso ou reforma, são ambos elementos necessários de uma condição sadia da vida política, até que um ou outro tenha ampliado o seu poder mental o necessário para se tornar um partido ao mesmo tempo de ordem e de progresso, sabendo e distinguindo o que é próprio para ser preservado e o que deve ser suprimido. Cada um desses modos de pensar deriva a sua utilidade das deficiências do outro. Mas é numa grande medida a oposição do outro que conserva cada um dentro dos limites da razão e da sanidade. A menos que opiniões favoráveis à democracia e à aristocracia, à propriedade e à igualdade, à cooperação e à competição, à luxúria e à abstinência, à sociabilidade e à individualidade, à liberdade e à disciplina, e todos os outros permanentes antagonismos da vida prática, sejam exprimidos com igual liberdade, e demonstrados e defendidos com igual talento e energia, não haverá probabilidade de ambos os elementos obterem o que lhe é devido: um prato da balança subirá na certa, e o outro descerá. A verdade, nos grandes negócios práticos da vida, é tanto uma questão de conciliar e combinar contrastes que muito poucos têm o espírito suficientemente largo e imparcial para levar a efeito esse ajustamento com uma correção aproximada. Torna-se preciso proceder a ele pelo áspero método de uma luta entre combatentes a pelejarem sobre bandeiras hostis. Em qualquer das grandes questões abertas há pouco enumeradas, se uma das duas opiniões possui melhor título, não meramente a ser tolerada, mas ainda a ser encorajada e protegida, é a que, no tempo e no lugar dados, se acha eventualmente em minoria. Essa é a opinião que, no minuto, representa os interesses negligenciados, a face do bem-estar humano que se encontra em perigo de obter menos do que lhe compete. Eu sei que não existe, neste país, nenhuma intolerância de opiniões quanto a muitos desses tópicos. Eles foram aduzidos para patentear, por exemplos admitidos e variados, o caráter universal do fato de somente através da diversidade de opiniões haver, no estado presente do intelecto humano, probabilidade de jogo lícito para todos os aspectos da verdade. Quando se acham pessoas que fazem exceção, a respeito de qualquer assunto, à aparente unanimidade do mundo, é sempre provável, ainda que o mundo esteja certo, que os dissidentes tenham algo a dizer digno de ser ouvido, e que a verdade algo perdesse com o seu silêncio.

Pode-se objetar: "*Alguns* dos princípios aceitos, especialmente nos assuntos mais elevados e vitais, são mais do que meias-verdades. A moralidade cristã, por exemplo, é a verdade completa no assunto, e, se alguém ensinar uma moralidade diversa, estará inteiramente em erro". Como este é o mais importante na prática, de todos os casos, nenhum é mais adequado para pôr à prova a máxima geral. Antes, porém, de afirmar o que seja ou deixe de ser, a moralidade cristã seria desejável fixar-nos sobre o que se entenda pela expressão. Se esta significa a moralidade do Novo Testamento, eu me admiro de que alguém possa supor, conhecendo-a do próprio livro, que tenha sido anunciada como doutrina completa de moral, ou haja pretendido sê-lo. O Evangelho sempre se refere a uma moralidade preexistente, e restringe os seus preceitos aos pontos particulares em que essa moralidade deveria ser corrigida, ou ultrapassada por uma mais larga e mais elevada. Além disso, ele se exprime nos termos mais gerais, muitas vezes impossíveis de ser interpretados literalmente, e possui antes o cunho de poesia ou eloquência que o caráter preciso de legislação. Extrair dele um corpo de doutrina ética nunca foi possível sem lhe acrescentar o Velho Testamento – isto é, um sistema trabalhado realmente com esmero, mas a muitos respeitos bárbaro, e destinado a um povo bárbaro. São Paulo, inimigo franco desse modo judaico de interpretar a doutrina excedendo o esquema do seu Mestre, igualmente presume uma moralidade preexistente – a saber, ao dos gregos e romanos. E buscou, no seu ensino aos cristãos, acomodar-se sistematicamente a esta, ao ponto de aparentemente autorizar a escravidão. O que se denomina moralidade cristã, e melhor se denominaria teológica, não foi a obra de Cristo ou dos apóstolos, mas é de origem muito posterior, tendo sido gradualmente construída pela Igreja Católica dos cinco primeiros séculos, e, embora não implicitamente adotada pelos modernos e pelos protestantes, tem sido muito menos modificada por eles do que se podia esperar. Pela maior parte, com efeito, eles se contentaram em suprimir as adições que se lhe fizeram na Idade Média, cada seita suprindo-as com adições novas adaptadas ao próprio caráter e tendências. Que a humanidade muito deve a essa moralidade e aos seus primitivos preconizadores, eu seria o último a negar. Mas não tenho escrúpulo em dizer que, em muitos pontos importantes, é incompleta e unilateral, e que, se ideias e sentimentos, não acolhidos por ela, houvessem deixado de contribuir para a formação da vida e do caráter europeus, os negócios humanos se encontrariam pior do que se encontram. A chamada moralidade cristã possui todos os caracteres de uma reação: é, em grande parte, um protesto contra o paganismo. O seu ideal é mais negativo do que positivo, antes passivo do que ativo. Inocência mais que Nobreza, Abstinência do Mal antes que enérgica Procura do Bem. Nos seus preceitos, como já se disse com felicidade, "tu não deves" predomina indevidamente sobre "tu deves". No seu horror da sensualidade, ela fez do ascetismo um ídolo, que gradualmente se transformou num ídolo de legalidade. Apresentou a esperança do céu e o pavor do inferno como os motivos indicados e convenientes para uma vida virtuosa, com o que desceu muito abaixo dos melhores dentre os antigos. Esse fundamento comunicou à moralidade humana um caráter essencialmente egoísta, desligando os sentimentos de cada homem dos interesses dos seus semelhantes, salvo na medida em que, para levar estes em conta, se apresenta um estímulo de interesse próprio. É, essencialmente, uma doutrina de obediência passiva: inculca submissão a todas as autoridades estabelecidas, as quais, na verdade, não devem ser ativamente obedecidas quando ordenam o que a religião proíbe, mas a que não se deve resistir, contra quem menos ainda se deve rebelar, por qualquer soma de injustiça que nos façam. E, enquanto na moralidade das melhores nações pagãs, os deveres para com o Estado mantêm ainda um lugar desproporcionado, infringente da justa liberdade do indivíduo, na ética puramente cristã esse grande ramo do dever é escassamente tratado e reconhecido. É no Corão, não no Novo Testamento, que se lê a máxima: "O governante que designa um homem para uma função quando há nos seus domínios outro mais qualificado para ela, peca contra Deus e contra o Estado". O que de pequeno reconhecimento obtém na moralidade moderna a ideia de obrigação para com o público, deriva-se de fontes gregas e romanas, não de cristãs. Como também, na moral privada, o que quer que exista de magnanimidade, de elevação de espírito, de dignidade pessoal, mesmo o senso de honra, é derivado da parte puramente humana, não religiosa, da nossa educação, e jamais poderia ter surgido de um tipo de ética em que o único valor cabalmente reconhecido é o da obediência.

Ninguém está mais longe do que eu, de pretender que esses defeitos sejam necessariamente inerentes à ética cristã qualquer que seja a forma por que ela se possa conceber. Ou que não haja conciliação possível entre ela e os muitos requisitos de uma completa doutrina moral a que não satisfaz. Muito menos eu insinuaria isso das doutrinas e dos preceitos propriamente de Cristo. Creio que os ditos de Cristo evidenciam, tanto quanto eu possa vê-lo, o que pretendiam ser; que eles não são inconciliáveis com coisa alguma requerida por uma moralidade compreensiva; que é possível juntar-lhes tudo o que é excelente em ética, sem maior violência à sua linguagem que a que lhe têm feito os que têm tentado deduzir deles um sistema prático qualquer de conduta. Mas é perfeitamente compatível com isso julgar que eles contêm, e pretenderam conter, apenas uma parte da verdade. Muitos dos elementos essenciais da moralidade mais elevada estão entre as coisas que deixaram de ser atendidas, e não se teve mesmo a intenção de atender, nas expansões do fundador do cristianismo que ficaram registradas. E o sistema ético erigido pela Igreja cristã, sobre a base daqueles ensinamentos, os põe inteiramente de lado. Sendo assim, parece-me um grande erro persistir na tentativa de encontrar na doutrina cristã aquela norma completa para a nossa orientação que o seu autor pretendeu sancionar e fortalecer, mas só parcialmente providenciar. Creio também que essa teoria estreita se está tornando, praticamente, um grave mal, prejudicando muito a instrução e treino morais que tantas pessoas bem-intencionadas, já agora, se esforçam por promover. Temo muito que, procurando formar o espírito e os sentimentos segundo um tipo exclusivamente religioso, e afastando os padrões seculares (falta-lhes denominação melhor) que até aqui coexistiram com a ética cristã e a completaram - recebendo algo do espírito desta e a esta infundindo algo do seu espírito deles - venha a resultar, e já está mesmo resultando, um tipo baixo, abjeto, servil, de caráter, que, submetendo-se como possa ao que julga a Suprema Vontade, seja incapaz de se elevar à concepção da Suprema Bondade ou de se simpatizar com ela. Creio que uma ética diversa de qualquer que se tire de fontes exclusivamente cristãs deve existir ao lado da ética cristã, para produzir a regeneração moral da humanidade. E que o sistema cristão não foge à regra de que, num estado imperfeito do espírito humano, os interesses da verdade exigem que haja opiniões diversas. Do conhecimento das verdades morais alheias ao cristianismo não decorrerá para os homens a necessária ignorância de alguma das que ele contém. Se ocorrer a alguém o preconceito ou a incompreensão de negar estas em virtude daquelas, isso será, sem nenhuma dúvida, um mal. Mas desse mal não podemos esperar permanecer sempre isentos, e deve ele ser encarado como o preço de um bem inestimável. É inevitável e é indispensável o protesto contra a pretensão exclusivista de uma parte da verdade, de ser a verdade toda. E, se um impulso de reação tornar injustos, por seu turno, os que protestam, essa unilateralidade, como a outra, pode ser lamentada, mas deve ser tolerada. Se os cristãos querem ensinar os descrentes a serem justos com o cristianismo, devem ser justos, por sua vez, com a descrença. Não se pode servir à verdade esquivando-se ao fato, sabido de qualquer um que possua a mais vulgar familiaridade com a história literária, de que grande parte dos mais nobres e valiosos ensinamentos morais tem sido obra de homens, não ignorantes da fé cristã, mas que, depois de a terem conhecido, a rejeitaram.

Não pretendo que o mais ilimitado uso da liberdade de enunciar todas as opiniões possíveis poria fim aos males do sectarismo religioso ou filosófico. É certo que toda verdade de que os homens de capacidade estreita falam com fervor, é afirmada, inculcada, e, ainda, de muitas formas levada à prática, como se outra não existisse no mundo, ou, em todo o caso, como se não existisse nenhuma que pudesse limitar ou modificar a primeira. Reconheço que a tendência de todas as opiniões para se tomarem sectárias, não se sana com a mais livre-discussão possível, antes, frequentemente, por essa forma aumenta e se exacerba. A verdade que se devia ver e não se viu, é, então, rejeitada do modo mais violento, porque proclamada por adversários. Mas não é no partidário apaixonado, e sim no mais calmo e desinteressado espectador, que essa colisão de opiniões produz o seu salutar efeito. Não o violento conflito entre partes da verdade, mas a silenciosa supressão da metade dela, eis o formidável perigo. Há sempre esperança quando as pessoas são forçadas a ouvir os dois lados. E quando atendem apenas a um, que os erros se endurecem em preconceitos, e a verdade cessa de causar o efeito de verdade por se ter exagerado em falsidade. E desde que há poucos atributos mentais mais raros que a faculdade discriminatória que pode traduzir-se numa decisão inteligente entre os dois lados de uma disputa, dos quais apenas um é representado por advogado, a verdade só tem probabilidades na proporção em que cada face sua, cada opinião que incorpora uma fração sua, não somente acha advogados, mas ainda é tão defendida quanto necessário para ser escutada.

Reconhecemos, agora, a necessidade para o bem-estar mental humano (de que todo o bem-estar humano de outra natureza depende), da liberdade de opinião, e da liberdade de exprimir a opinião. E isso com quatro fundamentos distintos, que recapitularemos brevemente neste passo.

Primeiro, se uma opinião é compelida ao silêncio, é possível seja ela verdadeira, em virtude de algo que podemos vir a conhecer com certeza. Negar isso é presumir a nossa infalibilidade.

Segundo, mesmo que a opinião a que se impôs silêncio seja um erro, pode conter, e muito comumente contém, uma parte de verdade. E, uma vez que a opinião geral ou dominante sobre um assunto é raramente, ou nunca, a verdade inteira, só pela colisão das opiniões contrárias se faz provável se complete a verdade com a parte ausente.

Terceiro, ainda que a opinião aceita não seja apenas verdadeira, mas a verdade toda, só não será assimilada como um preconceito, com pouca compreensão ou pouco sentimento das suas bases racionais, pela mor parte dos que a adotam, se aceitar ser, e efetivamente for, vigorosa e ardentemente contestada.

E não somente isso, mas, em quarto lugar, se tal não se der, o significado mesmo da doutrina estará em perigo de se perder, de se debilitar, de se privar do seu efeito vital sobre o caráter e a conduta: o dogma se tornará uma mera profissão formal, ineficaz para o bem, mas a estorvar o terreno e a impedir o surgimento de qualquer convicção efetiva e profunda, vinda da razão ou da experiência pessoal.

Antes de abandonar o assunto, é conveniente considerar, um pouco, a assertiva dos que dizem dever permitir-se a livre-expressão de todas as opiniões com a condição de ser a sua forma moderada, e de não se transporem os limites da discussão leal. Muito se poderia dizer da impossibilidade de fixar onde devam ser colocados esses supostos limites; porque, se o critério for a ofensa àqueles cujas opiniões são atacadas, me parece que a experiência testifica se dá a ofensa quando o ataque é eficaz e poderoso; e cada contraditor que os atropela vigorosamente e a que acham difícil responder, se lhes afigura, se sobre o assunto manifesta qualquer sentimento forte, um adversário imoderado. Mas isso, embora importante consideração de um ponto de vista prático, submerge numa objeção mais fundamental. Não sofre dúvida que a maneira de afirmar uma opinião, mesmo uma opinião verdadeira, pode ser muito criticável, e incorrer legitimamente em severa censura. As principais ofensas do gênero são tais, porém, que é, as mais das vezes, impossível determinar uma condenação, a não ser por casual infidelidade a si mesmo. A mais grave delas é discutir sofisticamente, suprimir fatos ou argumentos, falsear os elementos do caso, adulterar a opinião contrária. Mas tudo isso, ainda no mais alto grau, é feito tão continuamente de boa-fé, por pessoas não consideradas ignorantes e incompetentes, e que nem a outros respeitos merecem ser consideradas, tais que raras vezes se pode, com fundamentos adequados, estigmatizar, em sã consciência, a deturpação como moralmente culposa. E ainda menos poderia a lei pretender interferir nessa espécie de mau procedimento nas controvérsias. Quanto ao que comumente se entende por discussão imoderada - a saber, a invectiva, o sarcasmo, o personalismo, e similares, a denúncia dessas armas seria digna de maior simpatia se alguma vez se tivesse proposto interdizê-la igualmente a ambos os lados. Deseja-se, porém, restringir o seu uso somente contra as opiniões dominantes. Contra as não dominantes, podem não apenas ser usadas sem a reprovação geral, mas ainda trarão ao que as usar o louvor do zelo honesto e da indignação honrada. Entretanto, qualquer prejuízo que resulte do seu uso, é maior quando empregadas contra os relativamente indefesos; e qualquer vantagem desleal que possa decorrer para uma opinião dessa maneira de discutir, aproveita quase exclusivamente às opiniões aceitas. A pior falta desse gênero que se pode cometer numa polêmica é estigmatizar os defensores da opinião contrária como maus e imorais. Os que sustentam uma opinião impopular estão particularmente expostos a calúnias dessa espécie, porque, em geral, são poucos e sem influência, e ninguém, a não ser eles, se sente muito interessado em que se lhes faça justiça. Aos que atacam uma opinião dominante, essa arma é, no entanto, pela natureza do caso, negada; eles não podem usá-la com segurança própria, nem, se pudessem, ganhariam senão provocar repugnância pela causa que defendem. Em regra, as opiniões contrárias às comumente admitidas só podem conseguir atenção por uma linguagem estudadamente moderada, e pelo mais cauteloso evitamento de ofensas desnecessárias. Sempre que deixaram, mesmo num leve grau, de se desviar destas, perderam terreno, enquanto que o vitupério desmesurado da parte da opinião dominante realmente afasta o povo de professar as opiniões contrárias e de dar ouvido aos que as professam. No interesse, pois, da verdade e da justiça, é muito mais importante restringir este emprego da linguagem de vitupérios do que o outro. Assim, por exemplo, se se tivesse de escolher, haveria muito mais necessidade de desencorajar os ataques ofensivos à descrença que à religião. É, entretanto, óbvio que a lei e a autoridade não devem restringir nem uma nem outra. E, à opinião cabe, em cada espécie concreta, determinar o seu veredicto segundo as circunstâncias do caso individual, condenando todo aquele, seja qual for o seu partido no debate, em cujo modo de defesa se manifeste falta de candura, malignidade, hipocrisia, ou intolerância de sentimento. Mas não deve inferir esses vícios do partido tomado, ainda que seja o contrário do nosso. E é obrigação sua prestar homenagem, sem considerar a opinião defendida, ao que possui calma para ver e honestidade para informar que os antagonistas e suas opiniões realmente são, nada exagerando em seu descrédito, e não dando as costas a nada que deponha, ou se suponha depor, em favor deles. Essa é a real moralidade da discussão pública. Sou feliz em pensar que, se é muitas vezes violada, há, contudo, muitos polemistas que a observam cabalmente, e ainda um grande número que conscienciosamente se esforça por fazê-lo.

CAPÍTULO III

Da individualidade, como um dos elementos do bem-estar

Sendo essas as razões que tornam imperativo tenham os homens liberdade de formar opiniões e de exprimi-las sem reservas; e essas as funestas consequências para a natureza intelectual humana e, através desta, para a natureza moral, se essa liberdade não for concedida ou, a despeito de proibição, afirmada; examinemos, em seguida, se as mesmas razões não requerem a liberdade dos homens para agir segundo as suas opiniões – para levá-las à prática, na sua vida, sem obstáculo, físico ou moral, da parte dos seus semelhantes, enquanto o façam por sua própria conta e risco. Esta última cláusula é, sem dúvida, indispensável. Ninguém pretende que as ações devam ser tão livres como as opiniões. Pelo contrário, mesmo as opiniões perdem a sua imunidade quando as circunstâncias em que se exprimem são tais que a sua expressão constitui um incitamento positivo a algum ato nocivo. A opinião de que os comerciantes de cereais matam, à fome, o pobre, ou a de que a propriedade privada é um latrocínio, não devem ser molestadas quando simplesmente veiculadas pela imprensa, mas podem incorrer em pena justa quando expostas oralmente, ou afixadas sob a forma de cartaz, em meio a uma turba excitada, reunida diante da casa de um comerciante de cereais. Atos de qualquer espécie que, sem causa justificável, produzem dano a outrem, podem ser refreados pelos sentimentos desfavoráveis e, quando necessário, pela interferência ativa da coletividade, e, nos casos mais importantes, exigem mesmo tal. A liberdade do indivíduo deve ser, assim, em grande parte, limitada – ele não deve tornar-se prejudicial aos outros. Mas, se se abstém de molestar os outros no que lhes concerne, e meramente age segundo a própria inclinação e julgamento, em assuntos que dizem respeito a ele próprio, as mesmas razões que demonstram dever a opinião ser livre, provam também que se lhe deve permitir, sem o importunar, leve à prática as suas opiniões à própria custa. Que os homens não são infalíveis; que as suas verdades, pela maior parte, são meias-verdades; que a unidade de opinião, a não ser quando resulta de se compararem, da forma mais ampla e livre, opiniões opostas, não é desejável, nem a diversidade constitui mal, e sim um bem, até que a humanidade seja muito mais capaz do que no presente, de reconhecer todos os aspectos da verdade; eis princípios aplicáveis aos modos de ação dos homens não menos que às suas opiniões. Assim como é útil, enquanto a humanidade seja imperfeita, que haja diferentes opiniões, assim também o é que haja diferentes experiências de maneiras de vida, que se deem largas livremente, salvo a injúria a outrem, às variedades de caráter, e que o mérito dos diversos modos de vida seja praticamente provado, quando alguém se julgue em condições de experimentá-los. É desejável, em suma, que, nas coisas que não digam respeito primariamente aos outros, a individualidade se possa afirmar. Onde a norma de conduta não é o próprio caráter, mas as tradições e costumes alheios, falta um dos principais ingredientes da felicidade humana, e, de modo completo, o principal ingrediente do progresso individual e social.

Na defesa desse princípio, a maior dificuldade que se encontra não reside na apreciação dos meios adequados a um fim reconhecido, mas na indiferença geral ao próprio fim. Se fosse sentido que o livre-desenvolvimento da individualidade é um dos elementos capitais da essência do bem-estar, que ele não é apenas um elemento coordenado com tudo que se designa pelos termos – civilização, instrução, educação, cultura, mas é, ele próprio, parte e condição necessária de todas essas coisas, não haveria perigo de que a liberdade fosse subestimada, e a delimitação de fronteiras entre ela e o controle social não apresentaria dificuldade fora do comum. O mal, porém, está em que a espontaneidade individual quase não é reconhecida, pelos modos comuns de pensamento, como tendo um valor intrínseco, ou como merecedora, por si mesma, de atenção. A maioria, achando-se satisfeita com os procedimentos atuais da humanidade (pois é ela que os faz o que são), não pode compreender por que tais procedimentos não são suficientemente bons para alguém. E, o que é mais, a espontaneidade não participa do ideal da maioria dos reformadores sociais e morais, mas é antes olhada com desconfiança, como obstrução, fonte de perturbações e de rebeldia, à acolhida geral do que esses reformadores têm como o melhor para a humanidade. Poucas pessoas fora da Alemanha sequer compreendem o sentido da doutrina de que Guilherme de Humboldt, eminente tanto como *savant* quanto como político, fez a matéria de uma dissertação – a doutrina de que "o fim do homem, ou o que lhe é prescrito pelos eternos e imutáveis ditames da razão, e não sugerido por desejos vagos e passageiros, é o mais elevado e harmonioso desenvolvimento dos seus poderes visando constituir um todo acabado e consistente"; de que, portanto, o objeto "para o qual todo ser humano deve incessantemente dirigir os seus esforços, e ao qual especialmente aqueles que tencionam influenciar os seus semelhantes devem dar, sempre, a sua atenção, é a individualidade de poder e desenvolvimento"; de que para isso há dois requisitos, "liberdade e variedade de situações", e da união dos dois surge "o vigor individual e a múltipla diversidade" que se combinam em "originalidade"[6].

Todavia, se o povo pouco se acostuma a uma doutrina como a de Von Humboldt e se surpreende de que seja possível atribuir tão alto valor à individualidade, deve-se não obstante pensar que a questão talvez seja apenas de grau. Ninguém tem, sobre o problema da excelência na conduta, a opinião de que as pessoas devam tão somente copiar-se umas às outras. Ninguém afirmaria que não se deva pôr no próprio modo de vida, na direção dos próprios interesses, nenhum cunho do próprio discernimento ou caráter individual. De outro lado, seria absurdo pretender que os homens devam viver como se nada se tivesse conhecido no mundo antes que aí chegassem, como se a experiência nada ainda houvesse feito no sentido de mostrar que um modo de existência ou de conduta é preferível a outro. Ninguém nega que os indivíduos devam receber, na juventude, o ensino e o treino necessários para conhecerem os resultados verificados da experiência humana e deles se beneficiarem. Mas constitui o privilégio e a condição específica de um ser humano chegado à madureza das suas faculdades usar e interpretar de uma maneira própria a experiência. Cabe-lhe descobrir que parte da experiência registrada se aplica, com propriedade, às suas circunstâncias e caráter. As tradições e costumes alheios, em que se manifestam certas normas, provam, até certo ponto, a justeza destas, sendo o que a experiência ensinou *aos outros*. Prova presuntivamente, e têm elas, assim, direito à deferência de um indivíduo. Mas, em 1° lugar, a experiência alheia pode ter sido muito estreita, ou não ter sido corretamente interpretada. Em 2° lugar, embora correta, a interpretação pode ser inconveniente ao terceiro que a considera. Costumes se fizeram para circunstâncias costumeiras e caracteres costumeiros; e as circunstâncias que rodeiam esse terceiro, e o seu caráter, podem não ser costumeiros. Em 3° lugar, mesmo que os costumes sejam bons como costumes, e ainda convenientes ao terceiro, conformar-se ao costume meramente como costume não educa nem desenvolve no indivíduo nenhuma das qualidades que são o dom distintivo de um ser humano. As faculdades humanas de percepção, juízo, sentimento discriminatório, atividade mental, mesmo preferência moral, só se exercitam fazendo uma escolha. Quem faz algo porque seja o costume, não escolhe. Não ganha prática quer de discernir quer de desejar o melhor. Os poderes mentais e morais, como os musculares, só se aperfeiçoam pelo uso. As faculdades não são postas em exercício quando se faz algo meramente porque os outros fazem, nem quando se crê algo só porque os outros creem. Se os fundamentos de uma opinião não são concludentes para a razão do indivíduo, essa razão não pode ser robustecida, mas antes se enfraquecerá adotando tal crença. E se os motivos de um ato não são tais que se coadunem com os sentimentos e o caráter da pessoa (quando não estejam em causa afeição ou direitos alheios), esse ato torna os sentimentos e o caráter inertes e entorpecidos, ao invés de ativos e enérgicos.

Aquele que deixa o mundo, ou a parte do mundo a que pertence, escolher o seu plano de vida em seu lugar, não necessita de nenhuma faculdade a mais da imitação simiesca. Aquele que escolhe por si o próprio plano, emprega todas as suas faculdades. Deve usar a observação para ver, o raciocínio e o juízo para prever, a atividade para colher materiais de decisão, a discriminação para decidir, e, quando há decidido, a firmeza e o autocontrole para se conservar fiel à decisão deliberada. E essas qualidades, ele as requer e exercita na proporção exata em que é ampla a parte da sua conduta determinada de acordo com o próprio juízo e sentimento. Talvez sem qualquer dessas coisas pudesse ele tomar por algum bom caminho e afastar-se da estrada do mal. Qual, porém, seria, então, o seu valor como ser humano? Realmente, importa não só o que é feito, mas também quem o faz. Entre as obras em cujo aperfeiçoamento e embelezamento o homem faz bom emprego da sua vida, está, sem dúvida, o próprio homem. Supondo se pudesse obter que máquinas – autômatos com forma humana – construíssem as casas, cultivassem o trigo, pelejassem as batalhas, processassem as causas, erigissem as igrejas, fizessem as orações, muito se perderia em trocar por elas mesmo os homens e as mulheres que habitam, hoje, as partes mais civilizadas do mundo, e que são, seguramente, tão só miseráveis espécimes do que a natureza é capaz de produzir e produzirá. A natureza humana não é uma máquina a ser construída segundo modelo, e destinada a realizar exatamente a tarefa a ela prescrita, e sim uma árvore que necessita crescer e desenvolver-se de todos os lados, na conformidade da tendência das forças internas que a tornam uma coisa viva.

Conceder-se-á, provavelmente, que seja desejável se exercite a razão, e que uma inteligente observância ou mesmo, ocasionalmente, um inteligente desvio do costume valha mais do que uma adesão cega e simplesmente mecânica a ele. Admite-se, até certo ponto, a autonomia da nossa razão, mas não há a mesma boa vontade para admitir a autonomia dos nossos desejos, ou para aceitar que possuir impulsos autônomos, e de qualquer força, não constitui um perigo e uma armadilha. Todavia, desejos e impulsos são tanto uma parte do ser humano perfeito quanto crenças e freios; e os impulsos fortes são perigosos apenas quando não convenientemente contrabalançados, isto é, quando uma série de intenções e inclinações se fortalecem permanecendo fracas e inativas, outras que com aquelas deveriam coexistir. Não é porque sejam fortes os desejos que os homens agem mal, e sim porque as consciências são fracas. Não há conexão natural entre o impulso forte e a consciência fraca. A conexão natural é outra. Dizer que os desejos e sentimentos de uma pessoa são mais fortes e mais variados do que os de outra é simplesmente dizer que ela conta mais do material bruto da natureza humana, e, portanto, é capaz, talvez, de maior mal, mas seguramente de maior bem. Impulsos fortes são, apenas, um outro nome de energia. A energia pode voltar-se para maus usos; pode-se sempre, contudo, praticar maior bem com uma natureza enérgica do que com uma indolente e impassível. Sempre os que possuem os sentimentos mais naturais são os que, se os cultivam, podem fazê-los os mais vigorosos. As suscetibilidades fortes que dão vida e poder aos impulsos pessoais são as mesmas que constituem a fonte do mais apaixonado amor à virtude e do mais severo domínio de si mesmo. É pelo cultivo disso que a sociedade cumpre o seu dever e protege os seus interesses, e não rejeitando o estofo de que se fazem os heróis por não saber ela fazê-los. Uma pessoa cujos desejos e impulsos são autônomos – expressões da própria natureza como a desenvolveu e modificou a cultura – é dita de caráter. Outra, cujos desejos e impulsos não possuem essa autonomia, não tem caráter, não o tem mais do que uma máquina a vapor. Se além de próprios, os impulsos forem fortes e governados por uma vontade vigorosa, a pessoa é dotada de um caráter enérgico. Quem quer que julgue não se dever encorajar o desenvolvimento da individualidade dos desejos e impulsos, deve sustentar que a sociedade não carece de naturezas fortes – não lhe convém contar muitas pessoas dotadas de muito caráter – e que um alto nível geral de energia não é desejável.

Em alguns estágios primitivos da sociedade essas forças poderiam ir, e foram, muito além do poder que a sociedade então possuía, de discipliná-las e controlá-las. Tempo houve em que o elemento da espontaneidade e individualidade foi excessivo, e o princípio social com ele travou penosa luta. A dificuldade residiu, então, em induzir homens fortes de corpo e espírito a prestarem obediência a normas que lhes solicitavam o controle dos impulsos. Para a vencerem, a lei e a disciplina, como os papas em luta com os imperadores, afirmaram um poder sobre o homem todo, reivindicando o controle de toda a sua vida a fim de lhe controlarem o caráter - para cujo domínio não encontrara a sociedade outro meio. Agora, porém, a vantagem cabe à sociedade sobre a individualidade. E o perigo que ameaça a natureza humana não é o excesso, mas a deficiência dos impulsos e preferências pessoais. Mudaram imenso as coisas desde o tempo em que as paixões dos que eram fortes pela posição ou por dotes pessoais se achavam em habitual revolta contra as leis e ordenanças, e demandavam um refreamento rigoroso para permitirem às pessoas sob o seu poder uma partícula de segurança. No nosso tempo, da mais alta à mais baixa classe social, todos vivem sob as vistas de uma censura hostil e temida. Não somente no que concerne aos outros, mas ainda no que só diz respeito a eles próprios, o indivíduo e a família não se perguntam - que prefiro? ou que estaria conforme ao meu caráter e à minha intenção? ou que permitiria ao melhor e mais elevado em mim expandir-se, e o habilitaria a crescer e desenvolver-se? Eles se perguntam - que convém à minha posição? que é usualmente feito por pessoas da minha classe e das minhas condições financeiras? Não digo que escolham o costumeiro de preferência ao que lhes dita a inclinação. A eles não sucede ter inclinações, a não ser a inclinação para o costumeiro. Dessa forma o espírito se dobra ao jugo; mesmo no que se faz por prazer o conformismo é a primeira coisa em que se pensa; as pessoas desejam em grupo; exercem a escolha apenas entre coisas comumente feitas; fogem da peculiaridade de gosto e da excentricidade de conduta como de crimes; até que, à força de não seguirem a própria natureza, não têm mais natureza a seguir; as suas capacidades humanas mirram e morrem; tornam-se incapazes de desejos fortes e de prazeres naturais; e não apresentam, em regra, opiniões e sentimentos brotados do íntimo, propriamente seus. É essa, entretanto, a condição desejável da natureza humana?

Assim é, na teoria calvinista. Nesta, a grande ofensa humana é a vontade autônoma. Todo o bem de que a humanidade é capaz está compreendido na obediência. Não tendes escolha; assim deve ser feito, e não de outra forma; "o que quer que não seja dever, é pecado". Sendo a natureza humana radicalmente corrupta, não há redenção para nenhuma pessoa enquanto não mate dentro de si essa natureza. Para quem sustente essa teoria da vida, aniquilar alguma das faculdades, capacidades e suscetibilidades humanas não é um mal; o homem só necessita da capacidade de se abandonar à mercê de Deus; e se usa das suas faculdades para outro propósito que não executar eficazmente essa suposta vontade, melhor será privado delas. Essa – a teoria do calvinismo. E é sustentada, numa forma mitigada, por muitos que não se consideram calvinistas, consistindo a mitigação em interpretar menos asceticamente a referida vontade de Deus, de modo que, segundo esta, os homens devessem satisfazer algumas das suas inclinações. É claro que não da maneira por eles preferida, mas por via da obediência, isto é, numa forma prescrita pela autoridade e, portanto, pelas condições necessárias do caso, as mesmas para todos.

Há, no presente, sob formas assim insidiosas, uma forte tendência para essa estreita teoria da vida e para o opresso e mesquinho tipo de caráter humano que ela preconiza. Muitas pessoas, sem dúvida, sinceramente pensam que os seres humanos assim tolhidos e minguados são como o seu Criador tencionou que fossem, precisamente como muitos julgam que as árvores são algo muito mais delicado quando aparadas, ou quando talhadas em figuras de animais, do que como a natureza as fez. Mas se é da religião crer que o homem foi criado por um Ser bom, é mais compatível com essa fé admitir que esse Ser concedeu todas as faculdades humanas para que fossem cultivadas e desenvolvidas, e não desarraigadas e destruídas, e que ele estima se aproximem as suas criaturas, cada vez mais, da concepção ideal nelas incorporada, bem como aprova todo acréscimo das suas aptidões de compreensão, de ação, de gozo. Há um tipo de excelência humana diferente do tipo calvinista – uma concepção da humanidade pela qual a natureza a ela concedida tem finalidades outras que a mera renúncia. "A autoafirmação pagã" é um dos elementos da dignidade humana tanto quanto "a autonegação cristã"[7]. Há um ideal grego de autodesenvolvimento, com que o ideal platônico e cristão do domínio de si próprio se mescla, mas que este não invalida. Talvez valha mais ser um John Knox do que um Alcebíades, mas ser um Péricles vale mais do que ser um ou outro, nem faltaria a um Péricles dos nossos dias o que de bom John Knox haja tido.

Não é fazendo desvanecer-se na uniformidade tudo que existe de individual dentro de nós, e sim cultivando-o e estimulando-o, dentro dos limites impostos pelos direitos e interesses alheios, que os seres humanos vêm a ser um belo e nobre objeto de contemplação. E como as obras participam do caráter dos seus autores, a vida humana se torna, com isso, variada e excitante, fornecendo maior cópia de alimento aos pensamentos sublimes e aos sentimentos que elevam, e fortalecendo o laço que une cada indivíduo à espécie, por fazê-la infinitamente mais digna de se lhe pertencer. Na proporção em que se desenvolve a individualidade, cada pessoa se torna mais valiosa para si mesma, e, portanto, capaz de ser mais valiosa para os outros. Há uma maior plenitude de vida na sua existência, e, quando há mais vida nas unidades, há mais vida no todo que delas se compõe. Não se pode passar sem a necessária compressão se se visa impedir os espécimes mais vigorosos da natureza humana de usurpar os direitos alheios. Mas isso, ainda do ponto de vista do desenvolvimento humano, encontra plena compensação. Os meios de desenvolvimento que o indivíduo perde com o se lhe impedir satisfaça as inclinações a prejudicar os outros, são obtidos sobretudo à custa do desenvolvimento dos demais indivíduos. E mesmo para ele próprio há uma completa compensação no melhor desenvolvimento da parte social da sua natureza, possibilitado pela restrição à parte egoística. Ser obrigado às rígidas normas da justiça de respeito aos outros desenvolve os sentimentos e capacidades que têm por objeto o bem alheio. Mas ser coarctado no que não afeta esse bem alheio, e apenas é desagradável aos outros, nada desenvolve de valioso, a não ser o vigor de caráter que a resistência à coerção revele. A aquiescência a esta embota e entorpece toda a natureza. Para a livre-expansão da natureza de cada um é essencial que se permita a pessoas diferentes viverem vidas diferentes. Cada época fez-se digna de nota para a posteridade na proporção em que essa largueza de vistas nela se exercitou. O próprio despotismo não produz os seus piores efeitos enquanto sob ele persiste a individualidade. E o que quer que sufoque a individualidade é despotismo, seja qual for o nome que se lhe dê, e ainda que proteste estar impondo a vontade de Deus ou as injunções dos homens.

Tendo dito que a individualidade é a coisa mais o seu desenvolvimento, e que somente o cultivo da individualidade é que produz ou pode produzir seres humanos bem desenvolvidos, poderia eu encerrar aqui a argumentação - que mais e melhor se pode dizer de qualquer condição dos negócios humanos do que afirmar leva ela os homens para mais próximo do melhor que podem ser? Ou que de pior se pode sustentar de qualquer obstáculo ao bem do que impedir ele essa aproximação? Todavia não sofre dúvida que essas considerações não bastarão para convencer os que mais necessitam ser convencidos. E é preciso, ademais, evidenciar que esses seres humanos desenvolvidos têm alguma utilidade para os não desenvolvidos - é necessário mostrar aos que não aspiram liberdade, e dela não se aproveitariam, que lhes pode advir proveito inteligível do fato de permitirem a outrem o uso sem entraves da liberdade.

Assim, eu sugeriria, em 1° lugar, que os não desenvolvidos talvez aprendessem algo dos desenvolvidos. Ninguém negará ser a originalidade um elemento valioso nos negócios humanos. Há sempre necessidade de pessoas que não só descubram verdades novas e indiquem quando o que foi verdade deixou de o ser, como ainda iniciem novas práticas e deem o exemplo de um melhor gosto e senso na vida humana. Isso não o pode desconhecer quem não acredite tenha já o mundo atingido a perfeição em todos os seus métodos e práticas. É verdade que não é qualquer um que pode prestar esse benefício: há apenas alguns poucos, no conjunto da humanidade, cujos experimentos, se adotados pelos outros, constituiriam um aperfeiçoamento da prática estabelecida. Mas esses poucos são o sal do mundo; sem eles a vida humana se tornaria uma lagoa estagnada. Não somente introduzem as boas coisas anteriormente inexistentes, como ainda conservam a vida nas que já existem. Se nada de novo houvesse a fazer, deixaria o intelecto humano de ser necessário? Seria isso uma razão para que os que fazem velhas coisas esquecessem por que se fazem, e as fizessem como se fossem gado, e não seres humanos? Nas melhores crenças e práticas, verifica-se uma tendência, e muito grande, para degenerarem em maquinais. E, sem uma sucessão de pessoas de originalidade sempre recorrente a impedir os fundamentos dessas crenças e práticas de se tornarem meramente tradicionais, essa matéria morta não resistiria ao menor choque de qualquer coisa realmente viva, e razão não haveria para que a civilização não se extinguisse como no Império Bizantino. É verdade que os indivíduos de gênio são, por natureza, uma pequena minoria; mas, para tê-los, faz-se mister preservar o solo em que crescem. O gênio só pode respirar livremente numa *atmosfera* de liberdade. Os gênios caracterizam-se, *ex-vi termini*, por uma maior individualidade do que os outros – são menos capazes, consequentemente, de se adaptar, sem uma prejudicial compressão, a qualquer dos padrões pouco numerosos que a sociedade erige para poupar aos seus membros a pena de formarem o próprio caráter. Se, por timidez, se deixarem plasmar por um desses moldes, e não derem livre-curso a toda aquela parte da sua personalidade que se não pode expandir sob pressão, o meio social será impróprio para o seu gênio. Se patenteiam um caráter forte e quebram as cadeias que os restringem, a sociedade, que não logrou êxito em reduzi-los ao lugar-comum, os aponta, numa atitude de solene advertência, como "extravagantes", "excêntricos", e coisas análogas – qual alguém que se queixasse do Rio Niágara por não fluir docemente entre as suas margens como um canal holandês.

Insisto assim, enfaticamente, sobre a importância do gênio, e a necessidade de deixá-lo desenvolver-se livremente, no pensamento e na ação, certo de que não serei contraditado em teoria, mas também de que quase todos são, na realidade, completamente indiferentes a isso. O povo julga o gênio uma coisa preciosa se habilita um homem a escrever um poema emocionante, ou a pintar um quadro. Contudo, no seu verdadeiro sentido, isso de originalidade de pensamento e de ação, embora ninguém diga que não seja de admirar, quase todos pensam, no íntimo, que é coisa bem dispensável. Isso, infelizmente, é tão natural que não causa pasmo. A originalidade não pode ter a sua utilidade percebida pelos espíritos não originais. Não podem ver que proveito ela lhes traz – como o veriam? Se pudessem vê-lo, não se trataria de originalidade. Esta, primeiro, tem de lhes abrir os olhos. Só depois disso plenamente feito, surgir-lhes-á a oportunidade de se tornarem, por sua vez, originais. Entrementes, recordando-se de que nada jamais se fez sem um primeiro a fazê-lo, e de que tudo que de bom existe é fruto da originalidade, sejam eles suficientemente modestos para crerem haja ainda coisas novas a se fazerem! E certifiquem-se de que tanto mais necessária lhes é a originalidade quanto menos lhe sentem a falta!

Para dizer sobriamente a verdade, assinale-se que, qualquer que seja a homenagem que se tenha por devida, ou efetivamente se preste, à superioridade mental, real ou suposta, a tendência geral das coisas, por todo o mundo, é atribuir à mediocridade o poder dominante entre os homens. Na Antiguidade e na Idade Média e, num grau descrente, através da longa transição do feudalismo para a época presente, o indivíduo foi uma força em si mesmo. E quando possuía grandes talentos ou uma alta posição, ele era uma força considerável. Hoje os indivíduos estão perdidos na multidão. Em política, é quase trivial dizer que a opinião pública rege o mundo. A única força que merece o nome é a das massas, e a dos governos enquanto se fazem o órgão das tendências e instintos das massas. Isso é verdade, e nas relações morais e sociais da vida privada, e nos negócios públicos. Aqueles cujas opiniões se conhecem pelo nome de opinião pública não são sempre o mesmo público; na América, são o conjunto da população branca; na Inglaterra, principalmente a classe média. Entretanto, são sempre uma massa, isto é, mediocridade coletiva. E, o que constitui ainda maior novidade, a massa não torna, hoje, as suas opiniões, de dignitários da Igreja ou do Estado, de líderes ostensivos ou de livros. O seu pensamento lhes provém de homens muito semelhantes a ela, que a ela se dirigem, ou que em nome dela falam, sob a espora do momento, através dos jornais. Não me estou queixando dessas coisas. Não afirmo que algo melhor se coadunasse, como norma geral, com o baixo estado hodierno do espírito humano. Isso não impede, todavia, que o governo da mediocridade seja um governo medíocre. Jamais governo algum, fosse de uma democracia, fosse de uma numerosa aristocracia, seja nos seus atos políticos, seja nas opiniões, qualidades e tom de espírito por ele alimentados, se elevou acima da mediocridade, salvo quanto ao poder. Muitos se deixaram guiar (o que, nos seus melhores tempos, os governos sempre fizeram) pelos conselhos e influência de Um ou Alguns mais altamente colocados e instruídos. A iniciativa de todas as coisas sábias ou nobres vem, e deve vir, de indivíduos, geralmente, a princípio, de um certo indivíduo. A honra e a glória do homem mediano residem na capacidade de seguir essa iniciativa, em poderem repercutir no seu íntimo as coisas nobres e sábias, em se orientar para elas de olhos abertos. Não estou dando apoio a essa espécie de "culto do herói" que aplaude o vigoroso homem de gênio ao se apoderar, pela violência, do governo, e ao fazer os outros executarem, a despeito de si próprios, as suas ordens. Tudo que o homem de gênio pode reivindicar é liberdade para indicar o caminho. O poder de compelir os outros a tomarem esse caminho não somente é incompatível com a liberdade e o desenvolvimento das outras pessoas, mas ainda corrompe o próprio homem forte. Todavia, no momento em que as opiniões das massas de homens simplesmente medianos se tornaram, ou se estão tornando, por toda parte, a força dominante, parece que o contrapeso e o corretivo a essa tendência seria a individualidade cada vez mais acentuada das mais altas eminências do pensamento. É sobretudo em tais circunstâncias que os indivíduos excepcionais devem ser encorajados, e não dissuadidos, a agir diferentemente da massa. Em outras épocas não havia vantagem em que assim fizessem, salvo se se não tratasse de agir apenas diferentemente, mas ainda melhor. Hoje, o mero exemplo de não conformismo, a mera negativa a dobrar o joelho ao costume, já constitui um serviço. Precisamente porque a tirania da opinião é tal que faz da excentricidade um opróbrio, é desejável, para vencê-la, que as pessoas sejam excêntricas. A excentricidade sempre abundou quando e onde muita energia de caráter existiu, e a soma de excentricidade num meio social esteve, em regra, na proporção da soma de gênio, de vigor mental e de coragem moral aí contidos. Essa pequena ousadia hodierna para a excentricidade assinala o perigo capital da época.

Falei da importância que há em dar às coisas não costumeiras a mais livre-expansão possível a fim de que se possa verificar, oportunamente, quais dentre elas se revelam próprias para se converterem em costumes. Mas a independência da ação e o desprezo pelo costume não merecem encorajamento só pela possibilidade que proporcionam, de se criarem formas melhores de ação e costumes mais dignos de acolhimento. Nem apenas as pessoas de decidida superioridade mental possuem justo título a orientarem a vida de uma maneira autônoma. Não há razão para que toda a existência humana se construa por um só modelo, ou por um pequeno número de modelos. Se se possui tolerável soma de senso comum e de experiência, o modo próprio de dispor a existência é o melhor, não porque seja o melhor em si, mas porque é o próprio. Os homens não são como os carneiros, e mesmo os carneiros não são indistintamente iguais. Um homem não pode adquirir um casaco ou um par de botas que lhe sirvam sem que se tenham feito à sua medida, ou sem que os escolha dentre um completo sortimento – e é, porventura, mais fácil provê-lo de uma vida do que de um casaco? Ou serão as criaturas humanas mais semelhantes entre si pelo conjunto da formação física e espiritual, do que pelo feitio dos pés? Se os indivíduos só apresentassem diversidades de gosto, já haveria nisso razão suficiente para não se tentar talhá-los por um único modelo. Mas, além disso, pessoas diferentes requerem condições diferentes de desenvolvimento, e a identidade de atmosfera e clima moral pode não lhes convir mais do que convém à generalidade das espécies de plantas a identidade de atmosfera e clima físico. Aquilo que auxilia o cultivo da natureza mais elevada de um, impede-o a outro. Para um, certo modo de vida é estímulo sadio, mantendo na melhor ordem as suas faculdades de ação e de gozo; para outro, é carga pesada que paralisa ou aniquila toda a sua vida interna. A diversidade das fontes de prazer, das disposições para a dor, dos efeitos íntimos das várias ações físicas e morais, é tal nos seres humanos que eles não obtêm o seu justo quinhão de felicidade, nem se elevam à estatura mental, moral e estética de que a sua natureza é capaz, sem que exista uma correspondente diversidade nos seus modos de vida. Por que, então, se limitará a tolerância, na medida em que o sentimento público está em causa, aos gostos e modos de vida a que é em virtude da massa dos seus aderentes que se aquiesce? Em parte alguma, salvo em certas instituições monásticas, se deixa completamente de reconhecer a diversidade de gostos. Uma pessoa pode, sem motivo de censura, preferir, ou não, remo, fumo, música, exercícios atléticos, xadrez, baralho, estudo, porque tanto os que gostam dessas coisas, como os que não as estimam, são bastante numerosos para se lhes poder impor a renúncia aos seus gostos. Mas o homem, e ainda mais a mulher, a que se acuse de fazer "o que ninguém faz", ou de não fazer "o que todos fazem", sujeita-se a observações depreciatórias como se tivessem incorrido em algum grave delito moral. Faz-se mister a posse de um título, ou de algum outro signo de posição ou de apreço das pessoas de posição, para poder entregar-se, um pouco, ao luxo de fazer aquilo de que se gosta sem detrimento da estima alheia. Para entregar-se um pouco, repito, porque quem quer que se permita *muito* dessa liberdade, corre o risco de algo pior que recriminações - ficam em perigo de serem tidos por *lunáticos*, e de se verem despojados dos seus bens em proveito dos parentes[8].

Há na presente orientação da opinião pública uma característica particularmente adequada a torná-la intolerante para com qualquer manifestação mais viva de individualidade. Os homens, em geral, não são moderados só de inteligência, mas ainda de inclinações. Não possuem gostos nem desejos suficientemente fortes para incliná-los a fazer o inusitado, e, em consequência, não compreendem os que os possuem, aos quais classificam entre os extravagantes e imoderados a que costumam encarar com desprezo. Basta supor, agora, em adição a esse fato geral, que se tenha assentado um forte movimento no sentido de aperfeiçoar os costumes, para não termos dúvida sobre o que devemos aguardar. Tal movimento inicia-se nos dias de hoje. Muito há sido, de fato, realizado em prol da crescente regularidade da conduta, e do desencorajamento dos excessos. E manifesta-se um espírito filantrópico para cujo exercício nenhum terreno é mais convidativo do que o do melhoramento moral e prudencial dos nossos semelhantes. Essas tendências da época causam uma disposição do público maior do que em tempos anteriores, para prescrever normas gerais de conduta e esforçar-se pela conformidade de todos ao padrão adotado. E esse padrão, expresso ou tácito, consiste em nada desejar fortemente. O seu ideal de caráter é não ter um caráter assinalado; é mutilar, por compressão, como se faz aos pés das chinesas, qualquer parte da natureza humana que se saliente muito e tenda a imprimir ao indivíduo uma fisionomia acentuadamente diversa da humanidade vulgar.

Como habitualmente acontece com os ideais que excluem metade do desejável, esse padrão de conduta produz apenas uma imitação inferior da metade acolhida. Ao invés de grandes energias orientadas por uma razão poderosa, e de fortes sentimentos fortemente controlados por uma vontade consciensiosa, dele resultam fracos sentimentos e fracas energias, que se mantêm numa conformidade puramente exterior à norma, sem se acompanharem de qualquer vigor da razão ou da vontade. Caracteres enérgicos numa grande escala pertencem, hoje, cada vez mais, à tradição apenas. Qualquer movimento de energia constitui hoje coisa rara neste país, salvo em negócios. A energia despendida nestes ainda pode ser tida por considerável. O pouco que foge desse objetivo é gasto em alguma mania, a qual pode ser uma mania útil, mesmo filantrópica, mas sempre é uma única coisa, é geralmente coisa de pequenas dimensões. A grandeza da Inglaterra é, agora, toda coletiva: individualmente pequenos, só parecemos capazes de algo grande pelo nosso hábito de associação; e com isso os nossos filantropos morais e religiosos se satisfazem perfeitamente. Todavia foram homens de outra estampa que fizeram da Inglaterra o que ela tem sido, e homens de outra estampa se fazem necessários para impedir o seu declínio.

O despotismo do costume é por toda a parte o obstáculo constante ao avanço da humanidade, pela incessante oposição à tendência para visar algo superior ao costumeiro, tendência chamada, segundo as circunstâncias, espírito de liberdade ou espírito de progresso ou aperfeiçoamento. O espírito de aperfeiçoamento nem sempre é um espírito de liberdade, pois pode aspirar impor melhoramentos a um povo relutante; e o espírito de liberdade, em tanto que resiste a tais tentativas, pode aliar-se, local e transitoriamente, aos adversários do progresso. A única fonte infalível e constante, porém, de aperfeiçoamento é a liberdade, desde que com ela há tantos centros independentes de aperfeiçoamento possíveis quantos indivíduos. O princípio do progresso, contudo, numa ou noutra forma, como amor da liberdade, ou como amor do aperfeiçoamento, opõe-se ao domínio do costume, implicando, ao menos, a emancipação desse jugo. E o debate entre os dois constitui o principal interesse da história da humanidade. Propriamente falando, a maior parte do mundo não tem história, por ser completo o despotismo do costume. É o que se verifica por todo o Oriente. O costume é, aí, em todas as coisas, a instância final; justiça e direito significam conformidade ao costume; ao argumento do costume ninguém, salvo algum tirano intoxicado pelo poder, pensa em resistir. E nós vemos o resultado. Essas nações outrora devem ter tido originalidade. Elas não surgiram do solo populosas, letradas, versadas em muitas artes da vida. Fizeram-se tudo isso, e então foram as maiores e mais poderosas nações do mundo. Que são, agora? vassalas ou dependentes de tribos cujos antepassados erravam pelas florestas quando os delas possuíam palácios magnificentes e templos suntuosos – tribos, porém, sobre as quais o costume exercia apenas um domínio partilhado com a liberdade e o progresso. Parece que um povo possa ser progressista por um certo espaço de tempo após o qual pare: Por que para? Para quando cessa de possuir individualidade. Se uma transformação análoga sucedesse às nações da Europa, não seria exatamente do mesmo feitio: o despotismo do costume que as ameaça não consiste precisamente em imobilidade. Proscreve a singularidade, mas não exclui a transformação desde que tudo se transforme junto. Descartamo-nos dos costumes estáveis dos nossos antepassados: cada qual deve vestir-se como os outros, mas isso não impede que a moda varie uma ou duas vezes por ano. Quando há mudança, cuidamos de que a sua finalidade seja apenas mudar, e não provenha de ideia alguma de beleza ou conveniência; pois uma mesma ideia de beleza ou de conveniência não ocorreria a todos no mesmo momento, nem seria abandonada por todos num mesmo outro momento. Somos tão progressistas quão mutáveis: continuamente realizamos invenções novas em coisas mecânicas e conservamo-las até que melhores as invalidem; ansiamos por aperfeiçoamentos em política, educação, mesmo em moral, embora, na última, a nossa ideia de aperfeiçoamento consista, sobretudo, em persuadir ou forçar os outros a serem tão bons como nós. Não é ao progresso que nos opomos: ao contrário, gabamo-nos de ser a gente mais progressista que jamais viveu. É contra a individualidade que batalhamos: julgaríamos ter feito maravilhas se nos houvéssemos tornado semelhantes, todos, uns aos outros, olvidando que a dissemelhança das pessoas é geralmente o que mais fixa a atenção de cada uma na imperfeição do próprio tipo e na superioridade de outro – ou na possibilidade de, combinando as vantagens de ambos, produzir algo melhor do que qualquer dos dois. Um exemplo frisante, temo-lo na China – nação de muito talento e, ademais, a certos respeitos, de muita sabedoria, devido à rara sorte de contar, desde cedo, com um conjunto particularmente feliz de costumes, obra, até certo ponto, de homens a que mesmo os europeus mais esclarecidos têm de conceder, com certas restrições embora, o título de sábios e filósofos. Ela é notável, ainda, pela excelência do seu aparelhamento para infundir, o quanto possível, em cada espírito da comunidade a melhor sabedoria que possua, e para assegurar aos que melhor a assimilaram os postos de honra e poder. O povo que tal fez, certamente descobriu o segredo do progresso humano, e deveria ter-se mantido, com firmeza, à frente do mundo em marcha. Entretanto, ao contrário, tornou-se estacionário – assim tem permanecido por milhares de anos; e, se em algum momento avançar, sê-lo-á por obra de estrangeiros. Logrou êxito, além de toda esperança, naquilo por que tão laboriosamente se esforçam os filantropos ingleses – na criação de um povo uniforme, em que todos orientam os seus pensamentos e a sua conduta pelas mesmas máximas e normas. E tais são os frutos! O moderno *régime* da opinião pública é, numa forma desorganizada, o que os sistemas políticos e educacionais chineses são numa forma organizada. E, a menos que a individualidade seja capaz de se afirmar, com sucesso, ante esse jugo, a Europa, não obstante os seus nobres antecedentes e o seu cristianismo, tenderá a se tornar uma outra China.

Que é que há preservado a Europa, até o momento, de tal sorte? Que é que fez da família das nações europeias uma porção progressista, e não estacionária, da humanidade? Não foi nenhuma excelência superior peculiar a elas, a qual, quando existe como efeito, e não como causa; e sim a sua notável variedade de caráter e de cultura. Indivíduos, classes, nações, têm sido extremamente dissemelhantes entre si; traçaram caminho muito diversos, cada qual levando a algo valioso; e, embora em cada período os que tomaram por um desses caminhos hajam sido intolerantes para com os que palmilhavam outros, e cada qual pensasse na excelência de se coagirem os outros a virem para a rota dele, as tentativas de contrariar o desenvolvimento alheio raramente lograram sucesso duradouro, e cada qual teve de suportar, a seu tempo, o benefício advindo dos outros. A Europa deve inteiramente, ao meu ver, o seu desenvolvimento progressivo e variado a essa pluralidade de caminhos. Já começa, porém, a usufruir esse benefício num grau consideravelmente menor. Ela está decididamente avançando para o ideal chinês da uniformidade. M. de Tocqueville, na sua última obra, assinala quão mais se parecem entre si os franceses da presente época do que os da última geração. O mesmo se poderia dizer dos ingleses num grau muito maior. Guilherme de Humboldt, numa passagem já citada, aponta duas coisas como condições necessárias do desenvolvimento humano, porque necessárias à dissemelhança das pessoas, a saber, liberdade e variedade de situações. A segunda dessas condições está diariamente diminuindo neste país. Diariamente as circunstâncias em derredor das diversas classes e indivíduos, formadoras dos seus caracteres, se fazem mais semelhantes. Antigamente, classes diversas, vizinhanças várias, profissões e ofícios diferentes, viviam no que se podiam chamar de mundos diferentes; no presente, vivem, numa grande escala, no mesmo mundo. Aproximativamente falando, agora leem, ouvem e veem as mesmas coisas, vão aos mesmos lugares, dirigem as suas esperanças e os seus temores para os mesmos objetos, têm os mesmos direitos, as mesmas liberdades, os mesmos processos de os afirmar. Por grandes que sejam as diferenças de posição que remanescem, nada são ante as que cessaram. E a assimilação continua a se operar. Todas as transformações políticas da época a promovem, uma vez que todas tendem a erguer o baixo e a rebaixar o alto. Cada extensão da educação a promove, pois a educação submete o povo às influências comuns e lhe dá acesso à provisão geral de fatos e sentimentos. O progresso dos meios de comunicação a promove, pondo em contato pessoal os habitantes de lugares distantes, e mantendo um rápido fluxo de mudanças de residência de um lugar para outro. O incremento do comércio e das manufaturas a promove, difundindo mais amplamente as vantagens das fáceis circunstâncias, e abrindo à competição geral todos os objetos de ambição, ainda os mais elevados, por onde o desejo de subir se torna não mais o caráter de uma classe particular, mas de todas as classes. Um agente mais poderoso que todos esses, da generalização da similitude entre os homens, é o estabelecimento completo, neste e noutros países livres, da ascendência da opinião pública no Estado. Como as várias superioridades sociais, que habilitavam as pessoas, acasteladas nelas, a desrespeitar a opinião da multidão, cedem ante o nivelamento, e como a resolução de resistir à vontade do público, quando se sabe ter este positivamente uma vontade, cada vez mais desaparece do espírito dos políticos militantes, cessa de existir qualquer ponto de apoio social para o não conformismo – qualquer força por si subsistente que, por si oposta à ascendência do número, se interesse por tomar sob a sua proteção opiniões e tendências em discordância com as do público.

A associação de todas essas causas constitui um tão grande volume de influência hostis à individualidade, que não se vê facilmente como possa esta manter o terreno. A dificuldade crescerá, a menos que se possa fazer sentir à parte inteligente do povo o valor da individualidade fazê-la ver como é bom haja diferenças mesmo que não para melhor, mesmo que lhe pareçam para pior. Se em qualquer tempo se devem afirmar os direitos da individualidade, devemos fazê-lo agora, enquanto muito falta para se completar a assimilação forçada. É nos primeiros momentos que o combate à usurpação pode lograr êxito. A exigência de que todas as outras pessoas se façam semelhantes a nós que cresce com o que a alimenta. Se a resistência aguarda *quase* se reduza a vida a um tipo uniforme, todos os desvios desse tipo virão a ser considerados ímpios, imorais, mesmo monstruosos e contrários à natureza. A humanidade se torna rapidamente incapaz de conceber a diversidade se por muito tempo se desacostumou de vê-la.

CAPÍTULO IV

Dos limites da autoridade da sociedade sobre o indivíduo

Qual, então, o justo limite à soberania do indivíduo sobre si próprio? Onde começa a autoridade da sociedade? Quanto da vida humana se deve atribuir à individualidade, quanto à sociedade?

Cada uma delas receberá o próprio quinhão, se cada uma tiver aquilo que mais particularmente lhe diz respeito. À individualidade deve pertencer a parte da vida na qual o indivíduo é o principal interessado, à sociedade a que à sociedade primacialmente interessa.

Embora a sociedade não se funde num contrato, e embora nenhum proveito se tire da invenção de um contrato de que se deduzam as obrigações sociais, cada beneficiário da proteção da sociedade deve uma paga pelo benefício, e o fato de viver em sociedade torna indispensável que cada um seja obrigado a observar certa linha de conduta para com o resto. Essa conduta consiste, primeiro, em não ofender um os interesses de outro, ou antes certos interesses, que, ou por expressa cláusula legal ou por tácito entendimento, devem ser considerados direitos; e, segundo, em cada um suportar a sua parte (a se fixar segundo algum princípio equitativo) nos labores e sacrifícios em que se incorra na defesa da sociedade ou dos seus membros contra danos e incômodos. Justifica-se que a sociedade imponha essas condições a todo o custo àqueles que tentam furtar-se ao seu cumprimento. Nem isso constitui tudo que à sociedade é permitido fazer. Os atos de um indivíduo podem ser danosos a outro, ou faltar com a devida consideração ao bem-estar deste, sem irem ao ponto de violar algum dos seus direitos estabelecidos. Nesse caso, o ofensor pode ser justamente punido pela opinião, ainda que não pela lei. Desde que algum setor da conduta de uma pessoa afete de maneira nociva interesses alheios, a jurisdição da sociedade o alcança, e a questão de a interferência nesse setor promover, ou não, o bem-estar geral, torna-se aberta à controvérsia. Tal problema porém não tem lugar quando a conduta de um indivíduo não afeta interesses de outros ao seu lado, ou não necessite afetá-los a não ser que esses outros o queiram (todos os interessados sendo maiores e da ordinária soma de compreensão). Em todos esses casos, deve haver perfeita liberdade, legal e social, de praticar a ação e suportar as consequências.

Grande incompreensão dessa doutrina haveria em supô-la uma doutrina de indiferença egoística, que pretendesse nada terem os seres humanos com a conduta alheia, e não deverem interessar-se pelas boas ações e pelo bem-estar dos outros salvo estando o próprio interesse envolvido. O esforço desinteressado por promover o bem alheio necessita ser grandemente incrementado, e não por qualquer forma descoroçoado. Mas a benevolência desinteressada pode encontrar instrumentos de persuasão das pessoas ao seu próprio bem, diversos de açoites e azorragues, no sentido literal ou metafórico. Serei o último a depreciar as virtudes para consigo mesmo: apenas as julgo segundas em importância, se tais, ante as virtudes para com os outros. É tarefa da educação cultivar estas e aquelas. Mas mesmo a educação opera convencendo e persuadindo tanto quanto constrangendo, e, passado o período educativo, é só pelo primeiro método que se deve inculcar as virtudes para consigo próprio. Os seres humanos devem mutuamente ajudar-se a distinguir o melhor do pior e animar-se à escolha do primeiro e à recusa do segundo. Devem sempre achar-se entregues a um mútuo estímulo do exercício crescente das mais altas faculdades, e da crescente orientação dos sentimentos e desígnios para objetos e contemplações sábios, e não tolos, que elevem, e não que degradem. Não assiste, porém, a uma pessoa, ou a qualquer número de pessoas, autoridade alguma para dizer a outra, de idade madura, que não deve fazer da sua vida, em seu próprio benefício, o que decidiu fazer. Ela é a maior interessada no próprio bem-estar: o interesse que outrem, salvo nos casos de forte afeição pessoal, possa ter neste, é frívolo comparado com o dela; e o que a sociedade nutre por ela enquanto indivíduo (exceto no que diz respeito à sua conduta para com os outros) é fragmentário e totalmente indireto. De outro lado, o homem ou a mulher mais vulgar contam, em relação aos próprios sentimentos e às próprias circunstâncias, meios de conhecimento que ultrapassam, sem medida, os que possam ser possuídos por quaisquer outras pessoas. A interferência da sociedade para impor a sua apreciação e os seus propósitos no que apenas diz respeito ao indivíduo tem de se basear em presunções gerais; e estas podem ser inteiramente errôneas, e, mesmo sejam certas, tanto podem ser como não ser bem-aplicadas aos casos individuais, por pessoas tão pouco ao par das circunstâncias de tais casos quanto o deve estar quem os olha puramente de fora. Esse setor, pois, dos assuntos humanos constitui o campo de ação adequado da individualidade. Na conduta de uns para com os outros, faz-se necessário que normas gerais sejam observadas na sua maior parte, para que as pessoas possam saber o que esperar, mas, no que concerne propriamente a cada um, cabe à espontaneidade individual livre-exercício. Pode-se fazer ao indivíduo, mesmo com oposição sua, considerações que auxiliem a sua apreciação, ou exortações que fortaleçam a sua vontade, mas, afinal, é ele próprio quem decide. Todos os erros que é provável cometa mau grado conselhos e advertências, prejudicam menos do que permitir aos outros coagi-lo ao que julgam o bem dele.

Eu não pretendo que os sentimentos com que se encare uma pessoa não sejam, de nenhuma maneira, afetados pelas qualidades e defeitos no terreno da sua conduta para consigo mesma. Isso nem é possível nem desejável. Tanto quanto seja eminente em alguma das qualidades que conduzem ao próprio bem, faz-se digna de admiração. Tanto mais se aproxima da perfeição ideal da natureza humana. E, se carece acentuadamente de tais qualidades, disso se seguirá um sentimento inverso do de admiração. Há um grau de extravagância e um grau do que se pode chamar (embora o nome não seja insuscetível de objeções) baixeza ou depravação de gosto, que, apesar de não poder justificar, se inflija qualquer mal a quem o manifesta, o torna, necessária e adequadamente, objeto de desgosto, ou mesmo, nos casos extremos, de desprezo: ninguém poderia possuir com o devido vigor as qualidades opostas sem entreter esses sentimentos. Embora sem fazer injustiça a ninguém, uma pessoa pode agir de modo a nos obrigar a julgá-la – e a dar-lhe a perceber isso – uma insensata, ou um ser de ordem inferior. E, desde que esse juízo e essa percepção constituem fato que ela preferiria evitar, é prestar-lhe um serviço adverti-la disso de antemão, bem como de qualquer outra circunstância desagradável a que se expõe. Bom seria, na verdade, que esse serviço fosse bem mais livremente prestado do que as noções comuns de polidez o permitem hoje, e que alguém pudesse honestamente observar a outrem que o julga em falta, sem ser tido por indelicado ou presunçoso. Também nos assiste, de diversas formas, o direito de agir segundo a nossa desfavorável opinião de alguém, não para oprimir a sua individualidade, mas no exercício da nossa. Não somos obrigados, por exemplo, a lhe procurar a companhia: temos o direito de evitá-lo (embora não de ostentar esse evitamento), porque temos o direito de escolher a companhia que nos é mais aceitável. Temos o direito, e pode caber-nos o dever, de acautelar os outros contra ele, se lhe julgamos o exemplo ou a conversa capazes de efeito nocivo sobre os que dele se aproximem. Podemos preferir prestar a outros, e não a ele, o obséquio que nos é facultativo fazer, salvo se está em causa o seu melhoramento. Dessas várias formas, pode uma pessoa sofrer penalidades severas da parte dos outros, por faltas que concernem diretamente só a ela, mas as sofre apenas como consequências naturais, e, por assim dizer, espontâneas, das próprias faltas, não que lhe sejam propositadamente infligidas com o intuito de punição. Aquele que manifesta leviandade, teimosia, presunção, que não pode viver de uma maneira moderada, que não pode esquivar-

-se a excessos danosos, que busca prazeres animais às expensas dos do sentimento e do intelecto, deve esperar cair na opinião alheia, e contar menos com as disposições favoráveis dos outros. Não lhe assiste, porém, direito a se queixar, a menos que tenha feito jus ao favor alheio por uma especial superioridade nas suas relações sociais, e haja, assim, adquirido um título aos obséquios dos outros, ao qual não afetam os deméritos dele para consigo próprio.

O que pleiteio é que as inconveniências estritamente inseparáveis da apreciação desfavorável alheia sejam as únicas a que se sujeite alguém pela sua conduta e pelo seu caráter naquelas coisas que, concernentes ao seu próprio bem, não afetem, contudo, os interesses dos outros nas relações com ele. Já os atos ofensivos aos outros exigem um tratamento completamente diverso. A usurpação dos seus direitos; infligir-lhes lesão ou dano que os direitos do que lesa ou prejudica não justificam; a falsidade ou duplicidade no trato com eles; o uso ilícito ou mesquinho de vantagens que sobre eles se tenham; mesmo a abstenção egoística de os defender contra injúria – tudo isso são objetos adequados de reprovação moral e, nos casos graves, de retribuição e punição morais. E não somente esses atos, mas as disposições que a eles conduzem, são imorais no sentido próprio, dignas de reprovação, a qual pode ir à aversão. Tendências cruéis; má-índole e má-fé; a mais antissocial e odiosa de todas as paixões – a inveja; dissimulação e insinceridade; irascibilidade sem causa suficiente, e ressentimento desproporcional à provocação; o gosto de mandar nos outros; o desejo de embolsar mais vantagens do que compete a cada um (a πλεονεξία – pleonecsía – dos gregos); a soberba, que tira satisfação do amesquinhamento dos demais;

o egotismo, que se supõe a si e aos próprios interesses mais importantes do que quaisquer outras coisas, e que decide a favor de si mesmo todas as questões duvidosas – esses são vícios morais e formam um caráter moral mau e odioso. Não como as faltas contra si mesmo anteriormente mencionadas, as quais não são propriamente imoralidades, e, a qualquer ponto que sejam levadas, não constituem perversidade. Estas podem ser provas de certo grau de estultícia ou de carência de dignidade pessoal e de autorrespeito. Só se tornam, porém, objeto de reprovação moral quando envolvem uma infração do dever para com os outros, em caso nos quais estes se achem interessados na obrigação do indivíduo de cuidar de si. Os chamados deveres para conosco não são socialmente obrigatórios, a não ser que as circunstâncias os façam, ao mesmo tempo, deveres para com os outros. A expressão – dever para conosco, quando significa algo mais que prudência, significa respeito por si mesmo ou autoperfectibilidade; e por nada disso responde alguém perante os seus semelhantes, pois que, em nada disso, o bem da humanidade implica essa responsabilidade.

A distinção entre a perda de estima em que se pode legitimamente incorrer por falta de prudência ou de dignidade pessoal, e a reprovação devida por uma ofensa aos direitos alheios, não é meramente nominal. É muito diferente, tanto para os nossos sentimentos como para a nossa conduta para com uma pessoa, que nos desagrade ela no em que nos julgamos com o direito de controlá-la e no em que sabemos não ter esse direito. Se ela nos desagrada, é-nos permitido exprimir o nosso desgosto, e conservar-nos afastados de uma pessoa – como de uma coisa – que nos desagrada, mas não nos sentiremos solicitados a tornar-lhe, por isso, a vida desconfortável. Devemos refletir que ela já suporta, ou suportará, o castigo completo do seu erro. Se ela estraga a sua vida pela má orientação, não devemos desejar, por esse motivo, estragá-la mais ainda. Ao invés de querer puni-la, devemos esforçar-nos por lhe mitigar a pena, mostrando-lhe como evitar ou remediar os males que a sua conduta tende a trazer-lhe. Ela pode ser para nós um objeto de piedade, talvez de antipatia, mas não de cólera ou de ressentimento. Não a trataremos como inimiga da sociedade. O pior que será justo fazer é abandoná-la a si mesma, se não queremos intervir benevolamente mostrando-lhe interesse ou solicitude. Muito diverso será o caso se ela infringir as normas necessárias à proteção dos seus semelhantes individual ou coletivamente. As más consequências dos seus atos não recaem, então, sobre ela, mas sobre os outros, e a sociedade, como protetora de todos os seus membros, tem direito à represália: deve fazê-la sofrer pela falta, com o propósito expresso de puni-la, cuidando de agir com severidade. Ela se apresenta, então, como uma acusada ante o nosso tribunal, e pede-se a nós não apenas julgá-la, mas ainda, de uma forma ou outra, executar a nossa sentença. No outro caso, não nos cabe infligir-lhe nenhum sofrimento, salvo o que incidentalmente se siga do uso por nós da mesma liberdade de condução dos nossos negócios que a ela concedemos nos seus.

Muitos recusarão admitir a distinção que apontamos entre a parte da vida de alguém que só a ele concerne, e a que concerne aos outros. Como pode, perguntar-se-á, ser alguma parte da conduta de um membro da sociedade assunto indiferente aos demais membros? Ninguém é completamente um ser isolado, e é impossível a um indivíduo praticar permanentemente e seriamente algo prejudicial a si próprio sem acabar o mal por atingir as suas relações próximas, e sem ir mesmo, frequentemente, muito além destas. Se o indivíduo ofende os próprios bens, causa dano àqueles que, direta ou indiretamente, se apoiam neles, e, em regra, diminui, numa maior ou menor extensão, os recursos gerais da comunidade. Se desgasta as próprias faculdades corporais ou mentais, não apenas prejudica aqueles cuja felicidade, em parte, dele depende, mas ainda se desqualifica para os serviços que deve aos seus semelhantes em geral; talvez se torne um fardo para a afeição ou benevolência deles; e, se tal conduta fosse muito frequente, dificilmente se cometeria falta que desfalcasse mais a soma geral de vantagens. Finalmente, se, por seus vícios e tolices, alguém não causa diretamente dano a outrem, contudo – pode-se dizer – é nocivo pelo exemplo – e deve ser coagido a controlar-se, em benefício daqueles que a vista ou o conhecimento de tal conduta poderia corromper ou desencaminhar.

E mesmo, acrescentar-se-á, se as consequências da má conduta pudessem ficar confinadas ao indivíduo vicioso ou irrefletido, deveria a sociedade abandonar à própria orientação os que são manifestamente incapazes de se guiarem a si mesmos? Se se reconhece que às crianças e aos menores se deve auxílio contra a sua própria falta de critério, não está a sociedade igualmente na obrigação de concedê-la às pessoas de idade madura igualmente incapazes de se governar? Se o vício do jogo, ou a embriaguez, a incontinência, a ociosidade, a falta de higiene, são tão nocivos à felicidade, e obstáculos tão grandes ao aperfeiçoamento, quanto, ou mais que os atos proibidos pela lei, porque (pode-se perguntar) não deve a lei, quanto seja compatível com a praticabilidade e a conveniência social, reprimi-los também? E não deve a opinião, como um suplemento às inevitáveis imperfeições da lei, ao menos organizar uma poderosa polícia desses vícios, e aplicar rígidas penalidades sociais àqueles que sabe praticá-los? Aí não se trata, pode-se dizer, de restringir a individualidade, ou de impedir o ensaio de novas e originais práticas de vida. Aí o que se procura tolher são coisas experimentadas e condenadas desde o começo do mundo, coisas que a prática mostrou não serem úteis ou convenientes à individualidade de ninguém. É preciso que decorra certo espaço de tempo e se acumule certa soma de experiência para que uma verdade moral ou prudencial possa ser olhada como estabelecida, e aí se deseja meramente impedir que geração após geração se precipite no mesmo abismo que já foi fatal às que as precederam.

Admito cabalmente que o malfeito por alguém a si mesmo possa seriamente afetar, através das simpatias e interesses que tenham, aqueles que de perto com ele se relacionam, e, num grau menor, a sociedade em geral. Quando, por uma conduta desse gênero, alguém é levado a violar uma obrigação clara e determinada para com outra pessoa ou outras pessoas, o caso refoge à classe dos estritamente individuais, e torna-se sujeito à desaprovação moral, no sentido próprio do termo. Se, por exemplo, um homem, por intemperança ou extravagância, se faz incapaz de pagar as suas dívidas ou, havendo assumido a responsabilidade de uma família, incapaz de sustentá-la ou educá-la, ele merece reprovação e é justo que seja punido. Mas porque infringiu o dever para com os credores ou para com a família, não por ser extravagante. Se os recursos que se deveriam destinar-lhes tivessem sido desviados para a mais prudente aplicação, a culpabilidade seria a mesma. George Barnwell assassinou o tio a fim de obter dinheiro para a amante; mas, se o houvesse feito para se estabelecer comercialmente, teria sido igualmente enforcado. Por outro lado, no caso frequente de um homem que prejudica a família por se entregar a maus hábitos, merece ele, por sua malvadez ou ingratidão, uma censura que, entretanto, lhe caberia também se cultivasse hábitos em si não viciosos, mas fontes de dor para aqueles que partilham a sua vida ou cujo conforto dele depende em virtude de laços pessoais. Quem quer que falte à consideração geralmente devida aos interesses e sentimentos alheios, não sendo a isso obrigado por algum dever mais imperioso, ou autorizado por uma preferência pessoal lícita, faz-se objeto de desaprovação moral pela falta, não, porém, pelo que causa a falta, ou pelos erros de natureza meramente pessoal que podem remotamente tê-lo levado a ela. De maneira análoga, se alguém se incapacita, por conduta que diga respeito meramente a ele próprio, para o desempenho de algum dever determinado que lhe incumba para com o público, incorre em culpa por uma falta de natureza social. A ninguém se deve punir simplesmente por ter bebido; mas um soldado ou um policial que bebeu em serviço deve sofrer pena. Em suma, quando se verifica um prejuízo definido, ou existe um risco definido de prejuízo, a um indivíduo, ou ao público, o caso sai do setor da liberdade, e recai no da moralidade ou no da lei.

Mas em relação à injúria meramente contingente, que se poderia chamar – interpretativa, que uma pessoa pode causar à sociedade por conduta que não viola qualquer dever específico para com o público, nem ocasiona dano perceptível a determinado indivíduo, a inconveniência é de ordem tal que a sociedade pode consentir sofrê-la em benefício da liberdade humana. Se se tem de punir adultos por não cuidarem convenientemente de si, eu preferia que tal se fizesse em intenção deles mesmos, e não sob o pretexto de os impedir de prejudicar a sua capacidade de prestar à sociedade serviços que esta não pretende tenha o direito de exigir. Mas não posso consentir em debater o assunto como se a sociedade não contasse, para elevar os seus membros mais fracos até o seu padrão ordinário de conduta racional, com meios outros que aguardar pratiquem algo irracional, para ela, então, os punir por isso, legal ou moralmente. A sociedade teve um poder absoluto sobre eles durante todo o primeiro período da sua existência - teve o período inteiro da infância e da menoridade para procurar torná-los capazes de conduta racional na vida. A geração existente é senhora da educação e de todas as circunstâncias da geração seguinte. Não pode, na verdade, fazê-la perfeitamente sábia e boa, tão lamentavelmente falha é ela própria em bondade e sabedoria. Os seus melhores esforços não são, sempre, nos casos individuais, os mais bem-sucedidos. Mas pode, muito bem, fazer a geração, que surge, tão boa, no conjunto, como ela própria, e até um pouco melhor. Se a sociedade deixa uma quantidade considerável de seus membros crescerem como crianças genuínas, incapazes de atos fundados na consideração racional de motivos distantes, a si mesma deve censurar-se pelas consequências. Armada não apenas de todos os poderes da educação, mas ainda da ascendência que a autoridade de uma opinião aceita sempre exerce sobre os espíritos menos aptos para juízos autônomos; e coadjuvada pelas penalidades *naturais* que inevitavelmente recaem sobre os que incorrem no desagrado ou no desprezo dos conhecidos; não pode a sociedade pretender que necessite, ao lado de tudo isso, do poder de expedir ordens e impor obediência nos assuntos de natureza pessoal dos indivíduos, assuntos nos quais, segundo todos os princípios de justiça e política, a decisão deve caber a quem lhe suportará as consequências. Seria recorrer ao pior meio, o que tenderia, mais do que qualquer outra coisa, a desacreditar e frustrar os melhores processos de influenciar a conduta. Se naqueles que se tenta coagir à prudência ou à temperança houver do material de que se fazem os caracteres vigorosos e independentes, eles, infalivelmente, se rebelarão contra o jugo. Nenhuma pessoa dessa espécie sentirá jamais que os outros possuam o direito de a controlar no que lhe concerne, como têm o de impedi-la de ofendê-los no que concerne a eles. E facilmente se vem a considerar um sinal de espírito e de coragem desacatar uma tal autoridade fruto de usurpação, e fazer ostensivamente o contrário exato do que ela prescreve. Foi o caso do tipo de grosseria que sucedeu, na época de Carlos II, à fanática intolerância moral dos puritanos. Quanto ao que se disse da necessidade de proteger a sociedade contra o mau exemplo dado pelos viciosos ou levianos, é verdade que o mau exemplo pode ter um efeito pernicioso, sobretudo o mau exemplo de fazer impunemente injustiça aos outros. Estamos, porém, falando da conduta que, sem fazer injustiça aos outros, se supõe causar grande dano ao próprio agente; e eu não vejo como os que creem nesse dano possam julgar que o exemplo não tenha de ser, afinal, mais salutar do que nocivo, desde que, se exibe a má conduta, exibe, outrossim, as penosas e degradantes consequências, que, se é justa a censura que se faz à conduta, se deve supor, necessariamente, acompanharem o mau exemplo, em todos os casos, ou na maioria deles.

O mais forte, contudo, dos argumentos contra a interferência do público na conduta puramente pessoal, é que, quando ele interfere, se pode apostar que interfere de modo errado, e em lugar errado. Nas questões de moralidade social, de dever para com os outros, a opinião do público, isto é, de uma maioria dominante, embora muitas vezes errada, é natural que seja, ainda mais frequentemente, certa, pois que, em tais questões, ele é solicitado a julgar apenas dos próprios interesses, da maneira por que algum modo de conduta, se se lhe permitisse a prática, o afetaria. Mas a opinião de semelhante maioria, imposta como lei à minoria, em questões de conduta estritamente individual, tanto pode ser certa como errada. Nesses casos, a opinião pública, na melhor hipótese, significa a opinião de algumas pessoas sobre o que é bom ou mau para outras pessoas. Muito frequentemente, porém, nem mesmo isso significa, pois o público passa com a mais perfeita indiferença sobre o prazer ou a conveniência daqueles cuja conduta censura, para só considerar a preferência dele próprio. Muitos há que consideram uma injúria a si qualquer conduta de que não gostem, e que com ela se magoam como se fosse um ultraje aos seus sentimentos, da mesma forma por que se têm visto carolas que, acusados de desrespeito aos sentimentos religiosos dos outros, retrucam que estes é que desrespeitam os sentimentos deles por persistirem no abominável culto ou credo que professam.

Mas não há paridade entre o que sente uma

pessoa pela sua própria opinião, e o que sente outra que é ofendida no fato de professar a opinião – não mais que entre o desejo de um salteador de arrebatar uma bolsa, e o do seu legítimo dono de a conservar. E o gosto de uma pessoa é tanto do seu peculiar interesse como a sua opinião ou a sua bolsa. É fácil a qualquer um imaginar um público ideal que deixe imperturbadas a liberdade e a escolha dos indivíduos em todas as matérias incertas, e só exija deles a abstenção dos modos de conduta condenados pela experiência universal. Mas onde se viu um público que tal limite pusesse à sua censura? Ou quando se preocupa o público com a experiência universal? Nas suas interferências na conduta pessoal, raras vezes pensa em coisa diversa da enormidade de agir ou sentir diferentemente dele. E este critério de apreciação, ligeiramente disfarçado, é defendido ante a humanidade, por nove décimos dos escritores moralistas e especulativos, como preceito da religião e da filosofia. Esses escritores nos ensinam que as coisas retas o são porque são, porque as sentimos assim. Dizem-nos que procuremos nos próprios espíritos e nos próprios corações as leis da conduta que obrigam a nós e a todos os outros. Que resta ao pobre público senão aplicar essas instruções, e fazer dos seus sentimentos pessoais do bem e do mal, se ele mantém uma tolerável unanimidade na matéria, sentimentos obrigatórios para todo o mundo?

O mal aqui apontado não é mal que exista apenas em teoria. E talvez se espere que eu especifique exemplos nos quais o público desta época e deste país atribua às suas preferências o caráter de leis morais. Não estou escrevendo um ensaio sobre as aberrações do sentimento moral existente. Isso é assunto por demais grave para ser discutido incidentemente e por via de ilustração. Contudo, faz-se mister dar exemplos que mostrem ser o princípio por mim defendido de importância séria e prática e não me estar esforçando por elevar uma barreira contra males imaginários. E não é difícil patentear, por exemplos abundantes, que alargar os limites do que se pode chamar polícia moral, até a usurpação da mais inquestionavelmente legítima liberdade do indivíduo, é uma das mais universais inclinações humanas.

Como primeiro exemplo, considerem-se as antipatias nutridas sem melhor fundamento do que o fato de os antipatizados, de opiniões religiosas diferentes, não praticarem as observâncias religiosas do sujeito, especialmente as abstinências. Para citar um exemplo algo trivial, nada, no credo ou na prática dos cristãos, acirra mais o ódio dos maometanos contra eles do que comerem carne de porco. Poucos fatos os cristãos e os europeus encaram com um desgosto mais sincero do que o que os muçulmanos sentem por esse modo particular de satisfazer a fome. Trata-se, em primeiro lugar, de uma ofensa à sua religião. Essa circunstância, porém, de nenhum modo explica o grau ou o gênero da sua repugnância, pois beber vinho, coisa também proibida pela sua religião, todos os muçulmanos julgam malfeito, mas não repulsivo. A aversão deles à carne da besta imunda é, ao contrário, desse peculiar caráter, análogo a uma antipatia instintiva, que a ideia de porcaria uma vez infiltrada nos sentimentos parece sempre suscitar, mesmo naqueles cujos hábitos pessoais são algo diverso do escrupulosamente limpo, e de que o sentimento de impureza religiosa, tão intenso nos hindus, é um notável exemplo. Suponhamos, agora, que, num povo cuja maioria fosse muçulmana, esta teimasse por que não se permitisse comer carne de porco dentro das fronteiras do país. Isso não constituiria nada de novo em países muçulmanos[9]. Tratar-se-ia de um exercício legítimo da autoridade moral da opinião pública? E, se não, por que não? A prática, proibida na hipótese, é realmente revoltante para tal público. Ele pensa, ademais, sinceramente, que ela é proibida e abominada pela divindade. Nem poderia a interdição ser censurada como perseguição religiosa. Seria religiosa na sua origem, mas não perseguição por religião, desde que a religião de ninguém faz do comer porco um dever. O único fundamento sustentável da recusa ao pleiteado estaria em que o público não tem direito a interferir nos gostos pessoais e nos interesses estritamente particulares dos indivíduos.

Para nos aproximarmos mais de casa: os espanhóis, na sua maioria, consideram grave impiedade, ofensiva, no mais alto grau, ao Ser Supremo, cultuá-lo de forma diversa da católica romana; e nenhum outro culto público é legal em solo espanhol. O povo de toda a Europa Meridional encara um clero casado não só como irreligioso, mas também como impudico, indecente, grosseiro, repugnante. Que pensam os protestantes desses sentimentos perfeitamente sinceros e da tentativa de os impor aos não católicos? Contudo, se é legítimo interfira a humanidade na liberdade de cada um relativa ao que não concerne a interesses alheios, segundo que princípio é possível, coerentemente, afastar esses casos? Ou quem pode censurar as pessoas que desejem suprimir o que lhes parece um escândalo aos olhos de Deus e dos homens? Não se pode encontrar caso mais eloquente para a proibição do que se tenha por imoralidade pessoal, do que o constituído, aos olhos dos que encarem essas práticas como impiedades, pela sua supressão. E, a menos que sintamos boa vontade para acolher a lógica dos perseguidores, e para dizer que podemos perseguir os outros porque não estão certos, e que eles não devem perseguir-nos porque estão errados, devemos precatar-nos da admissão de um princípio cuja aplicação a nós nos doeria como rude injustiça.

Pode-se objetar aos exemplos precedentes, embora irrazoavelmente, que as contingências os tornam impossíveis entre nós: a opinião neste país não se adapta a impor a abstinência de alimentos, ou a interferir na maneira por que o povo, de acordo com o seu credo ou inclinação, pratique o culto, e prefira o casamento ou o celibato. O seguinte exemplo, entretanto, será tirado de uma interferência na liberdade de cujo perigo de nenhuma forma passou para nós. Onde quer que os puritanos tenham sido bastante fortes, como na Nova Inglaterra, e na Grã-Bretanha ao tempo de república, eles se esforçaram, com bastante sucesso, por suprimir todos os divertimentos públicos, e quase todos os privados: especialmente a música, a dança, os jogos públicos, ou outras reuniões com propósitos diversivos, e o teatro. Existem ainda neste país grupos grandes de pessoas cujas noções morais e religiosas condenam essas recreações. E, como essas pessoas pertençam principalmente à classe média, que é o poder dominante na presente condição social e política do reino, não é de nenhum modo impossível que pessoas desses sentimentos venham, em algum momento, a dominar uma maioria no Legislativo. Estimará a porção remanescente da comunidade que os sentimentos morais e religiosos dos mais estritos calvinistas e metodistas regulem que diversões lhe serão permitidas? Não desejaria, de um modo muito decisivo, que esses membros da sociedade, importunamente piedosos, se ocupassem com os negócios dele? É isso precisamente que se tem a dizer a todo governo e a todo público que pretendam não dever ninguém gozar de prazeres que julgam ilícitos. Mas se o princípio que funda essa pretensão for admitido, ninguém pode razoavelmente opor-se a que seja levado à prática no sentido da maioria ou de outro poder preponderante no país. E todos devem estar prontos a se conformarem à ideia de uma república cristã, do tipo da dos primeiros colonos da Nova Inglaterra, se uma profissão religiosa semelhante à deles lograr êxito, algum dia, em recuperar o terreno, como se viu acontecer, muitas vezes, com religiões supostas declinantes.

Imaginemos outra contingência, mais própria, talvez, para se realizar que a última mencionada. Há, reconhecidamente, uma forte tendência, no mundo moderno, para uma constituição democrática da sociedade, acompanhada, ou não, de instituições políticas populares. Afirma-se que no país onde essa tendência se realiza de forma mais completa – onde tanto a sociedade como o governo são muito democráticos, nos Estados Unidos, o sentimento da maioria, ao qual desagrada qualquer aparência de um estilo de vida mais pomposo ou opulento do que pode ela esperar atingir, opera como uma lei suntuária de apreciável eficiência, e que em muitas partes da União é realmente difícil, para quem possua uma renda muito grande, achar um modo de a gastar que não incorra na desaprovação do povo. Embora relatos como esses sejam, sem dúvida, muito exagerados como representação dos fatos existentes, o estado de coisas que descrevem é um resultado não somente concebível e possível, mas ainda provável, do sentimento democrático, combinado com a noção de possuir o público um direito de veto a respeito da forma por que os indivíduos gastam as suas rendas. Ademais, basta supor uma difusão considerável de opiniões socialistas para poder tornar-se degradante, aos olhos da maioria, possuir algo mais do que uma propriedade muito pequena, ou alguma renda não proveniente do labor manual. Opiniões em princípio semelhantes a essas já prevalecem, amplamente, na classe dos artesãos, e pesam, de uma maneira opressiva, sobre os que respondem perante a opinião dessa classe antes de qualquer outra – a saber, os seus próprios membros. É sabido que os maus trabalhadores, que formam a maioria dos operários em muitos ramos da indústria, são decididamente da opinião de que eles devem receber os mesmos salários que os bons e que a ninguém se deve permitir adquira, por meio do salário por peças ou de outra forma, e em virtude de perícia ou destreza superior, mais que aos outros é possível sem essas qualidades. E eles empregam uma polícia moral, que ocasionalmente se torna física, para impedir os trabalhadores peritos de receber, e os empregadores de pagar, uma remuneração maior por um serviço mais útil. Se os assuntos privados caem sob a alçada do público, eu não posso ver como estejam essas pessoas em falta, ou como qualquer público especial possa ser condenado por afirmar sobre a conduta pessoal de um indivíduo a ele pertencente, a mesma autoridade que o público geral afirma sobre o conjunto das pessoas.

Sem nos estendermos, porém, sobre casos hipotéticos, encontramos, nos nossos próprios dias, grosseiros esbulhos da liberdade da vida privada efetivamente praticados, e ainda maiores ameaçados com certa expectativa de sucesso, e opiniões propostas que afirmam tom direito ilimitado do público, não só de proibir por lei tudo que julgue malfeito, mas também, com o fim de atingir o malfeito, de proibir uma quantidade de coisas que ele admite serem inocentes.

A título de prevenir a intemperança, o povo de uma colônia inglesa, e de quase metade dos Estados Unidos, sofreu a interdição legal de fazer qualquer uso, exceto para propósitos médicos, de bebidas fermentadas: pois a proibição da sua venda é de fato, e pretende ser, proibição do seu uso. E embora a impraticabilidade da execução da lei a tenha feito revogar em vários dos estados que a adotaram, muitos filantropos professos iniciaram, não obstante, uma tentativa, e nela prosseguem com considerável zelo, de agitar este país em prol de uma lei semelhante. A associação, ou "Aliança" como ela a si mesma se denomina, que se formou com esse propósito, adquiriu alguma notoriedade com o ser dada a público uma correspondência entre o seu secretário e um dos muito poucos homens públicos ingleses que compreendem deverem as opiniões de um político fundar-se em princípios. A parte de Lord Stanley nessa correspondência é própria para fortalecer as esperanças nele postas pelos que sabem quão raro, infelizmente, figuram na vida política qualidades como as que se manifestam em alguns aspectos públicos da sua personalidade. O órgão da Aliança, que "deploraria profundamente o reconhecimento de qualquer princípio que se pudesse forçar a justificar a carolice e a perseguição", empreende indicar "a larga e intransponível barreira" que separa princípios dessa espécie dos do seu grêmio. "Todas as matérias relativas ao pensamento, à opinião, à consciência, parecem-me", diz ele, "estar fora da esfera legislativa; todas as pertinentes ao ato, ao hábito e à relação sociais, sujeitos somente a um poder discricionário assumido pelo próprio Estado, e não pelo indivíduo, parecem-me estar dentro dela". Nenhuma menção se faz de uma terceira categoria, diversa de qualquer dessas duas – a saber, atos e hábitos não sociais, mas individuais; ainda que seja, seguramente, a essa categoria que o ato de ingerir bebidas fermentadas pertença. Vender bebidas fermentadas é, em todo o caso, comerciar, e comerciar é um ato social. Mas a infração que se lamenta não é da liberdade do vendedor, mas da do comprador e consumidor; desde que tanto faz o Estado proibi-lo de beber vinho como tomar-lhe propositadamente impossível obtê-lo. O secretário, todavia, diz:

"Reivindico, como cidadão, o direito de legislar onde os meus direitos sociais sejam invadidos pelo ato social de outrem." E, agora, para a definição desses "direitos sociais": "Se existe algo que invada os meus direitos sociais, esse algo é o tráfico de bebidas fortes. Ele destrói o meu direito primário de segurança, por criar e estimular constantemente a desordem social. Invade o meu direito de igualdade, tirando proveito da criação de uma miséria que sou taxado a suportar. Impede o meu direito ao livre-desenvolvimento moral e intelectual, por cercar o meu caminho de perigos, e por enfraquecer e desmoralizar a sociedade, da qual tenho direito a reclamar ajuda mútua e intercâmbio". Uma teoria de "direitos sociais" cujas similares nunca, provavelmente, falaram antes linguagem diversa: nada menos do que isso – que constitui direito absoluto de todo indivíduo que cada outro indivíduo aja, a todos os respeitos, exatamente como é dever dele; quem quer que falte a este na menor particularidade, viola o meu direito social e autoriza-me a pedir à legislação que remova o agravo. Tão monstruoso princípio é muito mais perigoso do que qualquer interferência especial na liberdade; não há violação da liberdade que isso não pudesse justificar; esse princípio não reconhece direito a qualquer liberdade que seja, exceto, talvez, à de sustentar opiniões em segredo, sem jamais as revelar; porque, no momento em que uma opinião nociva ao meu ver passa pelos lábios de alguém, ela invade todos os "direitos sociais" a mim atribuídos pela Aliança. A doutrina investe todos os homens de um direito à perfeição moral, intelectual, e mesmo física, de cada outro indivíduo, perfeição que cada titular do direito definirá em função do modelo que adote.

Outro importante exemplo de ilegítima interferência na justa liberdade individual, interferência não simplesmente ameaçada, mas há muito efetivamente triunfante, é o da legislação sabática. Sem dúvida, abster-se da usual ocupação quotidiana, em um dia por semana, tanto quanto as exigências da vida o permitam, embora a nenhum respeito religiosamente obrigatório para ninguém que não seja judeu, constitui costume altamente benéfico. E, como esse costume não pode ser observado sem um acordo geral nesse sentido entre as classes laboriosas, segue-se daí que, em tanto que algumas pessoas podem impor, trabalhando, a mesma necessidade de trabalhar a outras, pode ser admissível e reto que a lei garanta a cada um a observância do costume pelos outros, suspendendo as mais importantes operações industriais num dia especial. Mas essa justificação, fundada no interesse direto que os demais têm em que cada um observe a prática, não se aplica às ocupações de própria escolha, em que uma pessoa possa julgar adequado empregar o seu lazer. Nem vale, no menor grau que seja, para as restrições legais às diversões. É verdade que a diversão de alguns importa no trabalho de outros; mas o prazer, para não dizer a recreação útil, de muitos vale o trabalho de uns poucos, desde que a ocupação destes seja livremente escolhida e possa ser livremente renunciada. Os operários têm toda a razão em pensar que, se todos trabalhassem no domingo, o trabalho de sete dias teria de ser dado pelos salários de seis dias; mas já, se a grande massa das atividades se suspende, o pequeno número que, em bem da diversão alheia, deve ainda trabalhar, obtém um aumento proporcional dos ganhos; e, ademais, estes não são obrigados a entregar-se a tais ocupações se preferem o ócio ao lucro. E, se quer mais um remédio, poder-se-ia achá-lo no estabelecimento, pelo costume, de um feriado em outro dia da semana para essas classes especiais de pessoas. O único fundamento, pois, com que é possível defender as restrições às diversões domingueiras, tem de ser o de que essas diversões constituem um mal do ponto de vista religioso – e contra um tal motivo de legislação jamais será excessivo o ardor com que se proteste. *"Deorum injuriae Diis curae"*. Resta provar que a sociedade, ou algum dos seus funcionários, tenha recebido do alto a missão de vingar qualquer suposta ofensa ao Onipotente que não seja ao mesmo tempo uma injúria aos nossos semelhantes. A noção de que um homem responde por que outro seja religioso foi o fundamento de todas as perseguições religiosas em qualquer tempo levadas a efeito, e, se admitida, as justificaria por completo. Embora, o sentimento manifestado nas repetidas tentativas de paralisar as viagens ferroviárias no domingo, na oposição à abertura dos museus, e noutras coisas análogas, não tenha a crueldade dos antigos perseguidores, o estado de espírito por ele revelado é, essencialmente, o mesmo. É uma determinação de não tolerar façam os outros o que a religião deles permite, mas não a do perseguidor. É uma crença de que Deus não só abomina o ato do descrente, mas ainda não nos julgará inocentes se o deixarmos em paz.

Não posso abster-me de acrescentar a esses exemplos da pequena conta em que comumente se tem a liberdade humana, a linguagem de manifesta perseguição usada pela imprensa deste país quando chamada a noticiar o notável fenômeno do mormonismo. Muito se poderia dizer do inesperado e instrutivo fato de que uma pretensa nova revelação, sobre a qual uma religião se fundou, produto de palpável impostura, que nem mesmo o *prestige* de extraordinárias qualidades do fundador pode amparar, seja crida por centenas de milhares, e tenha chegado a ser o alicerce de uma sociedade, na época dos jornais, das ferrovias e do telégrafo. O que aqui nos importa, porém, é que essa religião, como outras e melhores, conta os seus mártires; que o seu profeta e fundador foi, em virtude do seu ensino, condenado à morte por uma turba; que outros dos seus aderentes perderam a vida pela mesma violência ilegal; que eles foram, em bloco, expulsos a força do pais em que primitivamente medraram; enquanto, agora que foram acossados para um recesso isolado no meio de um deserto, muitos, neste país, abertamente declaram que seria justo (apenas não é conveniente) enviar uma expedição contra eles, e compeli-los pela força a se conformarem às opiniões alheias. O artigo da doutrina mormônica que mais antipatia provoca, antipatia que transpõe, da maneira referida, os limites ordinários da tolerância religiosa, é a permissão da poligamia, a qual, embora autorizada aos maometanos, hindus e chineses, parece excitar uma inexaurível animosidade quando praticada por pessoas que falam inglês e se proclamam um ramo dos cristãos. Ninguém desaprova mais profundamente do que eu essa instituição mormônica. Por muitas razões, uma das quais consiste em que, longe de se amparar, de qualquer forma, no princípio da liberdade, é uma direta infração dele, pois que mera consolidação das cadeias que prendem a metade da comunidade, e uma emancipação da outra da reciprocidade de obrigações para com a primeira. Deve-se contudo recordar que essa relação é tão voluntária da parte das mulheres a que concerne e que podem ser consideradas as suas vítimas, como em qualquer outra modalidade da instituição do casamento. E, por mais surpreendente que tal fato possa parecer, tem ele a sua explicação nas ideias e costumes correntes, os quais, ensinando as mulheres a olharem o casamento como a única coisa necessária, tornam compreensível que muitas mulheres prefiram ser uma de várias esposas a não ser esposa de maneira nenhuma. Outros países não se viram solicitados a reconhecer essas uniões nem a dispensar da observância das suas leis, por motivo de opiniões mormônicas, qualquer porção dos seus habitantes. Mas quando os dissidentes tiverem concedido aos sentimentos hostis alheios muito mais do que estes teriam direito a reivindicar, e houverem deixado os países que consideram inadmissíveis as suas doutrinas, para se estabelecerem num remoto esconso do globo que eles tenham sido os primeiros seres humanos a habitar, será, então, difícil ver por que princípios, que não os da tirania, se pode impedi-los de aí viverem sob as leis do seu agrado, desde que não agridam as outras nações, e deem toda a liberdade de se irem embora àqueles que não estiverem satisfeitos com os seus métodos. Um escritor recente, a certos respeitos de considerável mérito, propõe, para usar as suas próprias palavras, não uma cruzada, mas uma *civilizade*, contra essa comunidade poligâmica, a fim de pôr termo ao que lhe parece um passo atrás na civilização. Para mim também se trata de um passo atrás na civilização; mas eu não penso que assista a qualquer comunidade o direito de forçar outra a ser civilizada. Enquanto as vítimas das más leis não invocarem a assistência de outras comunidades, não posso admitir que gente inteiramente sem relações com elas intervenha, e exija que se ponha fim a um estado de coisas com o qual todos os interessados diretos parecem satisfeitos, porque seja ele um escândalo para pessoas, distantes de alguns milhares de milhas, que nele não têm parte nem interesse. Mandem missionários, se lhes agrada, pregar contra o estado de coisas, e oponham-se, por qualquer meio lícito (e fazer calar os mestres do novo credo não é meio lícito), ao progresso de tais doutrinas em meio ao seu próprio povo. Se a civilização triunfou sobre a barbárie quando a barbárie dominava o mundo, é demais recear que a barbárie, depois de tão facilmente derrotada, reviva e domine a civilização. Uma civilização que assim pode sucumbir ante o inimigo vencido deve primeiro ter-se tornado tão degenerada, que nenhum dos seus padres e pregadores, nem ninguém mais, tem capacidades, ou assumirá o penoso encargo, de se erguer por ela. Se assim for, quanto mais cedo tal civilização se vir notificada a despejar, tanto melhor. Só poderá ir de mal a pior, até ser destruída e regenerada, como o Império do Ocidente, por bárbaros enérgicos.

CAPÍTULO V

Aplicações

Os princípios afirmados nestas páginas precisam obter uma aceitação mais generalizada como base da discussão de minúcias, antes de se tentar, com perspectiva de sucesso, uma aplicação coerente sua a todos os diversos setores do governo e da moral. As poucas observações que me proponho a fazer sobre questões de detalhe visam ilustrar os princípios, antes que os acompanhar às suas consequências. Ofereço não tanto aplicações, como exemplos de aplicação, os quais podem servir para trazer maior clareza sobre o significado e os limites dos dois preceitos que, conjuntamente, formam a doutrina deste ensaio, e para auxiliar o entendimento a decidir entre eles, nos casos em que pareça duvidoso qual o aplicável.

O primeiro de tais preceitos é que o indivíduo não responde perante a sociedade pelas ações que não digam respeito aos interesses de ninguém a não ser ele. Conselho, ensino, persuasão, esquivança da parte das outras pessoas se para o bem próprio a julgam necessária são as únicas medidas pelas quais a sociedade pode legitimamente exprimir o desagrado ou a desaprovação da conduta do indivíduo. O segundo preceito consiste em que, por aquelas ações prejudiciais aos interesses alheios, o indivíduo é responsável, e pode ser sujeito à punição, tanto social como legal, se a sociedade julga que a sua defesa requer uma ou outra.

Em primeiro lugar, não se deve, de nenhum modo, supor que, se dano, ou probabilidade de dano, aos interesses alheios, pode, sem mais nada, justificar a interferência da sociedade, isso sempre justifique tal interferência. Em muitos casos, um indivíduo, visando um objetivo legítimo, causa, necessariamente, e, portanto, legitimamente, dor ou lesão a outros, ou intercepta um bem que eles tinham razoável esperança de obter. Tais conflitos de interesses entre indivíduos surgem, muitas vezes, de más instituições sociais, mas são inevitáveis enquanto essas instituições duram, e alguns seriam inevitáveis com quaisquer instituições. Quem quer que logre êxito numa profissão superlotada, ou num concurso, quem quer que seja preferido a outrem numa disputa por um objeto que ambos desejem, colhe benefício do prejuízo do outro, do seu esforço, desperdiçado e da sua desilusão. Mas, para o interesse comum dos homens, é melhor, por consenso geral, que as pessoas procurem os seus objetivos sem se desviarem por esse tipo de consequências. Em outras palavras, a sociedade não admite o direito, legal ou moral, dos competidores decepcionados à imunidade desse gênero de sofrimento. E sente-se solicitada a interferir somente quando os meios de sucesso empregados não são permitidos, por contrários ao interesse geral, como a fraude ou a deslealdade, e a violência.

Assim, o comércio é um ato social. Quem quer que empreenda vender ao público uma espécie qualquer de bens, faz coisa que afeta os interesses das outras pessoas e da sociedade em geral, e, dessa maneira, a sua conduta, em princípio, recai sob alçada da sociedade. Em consequência, considerou-se, outrora, obrigação dos governos, nos casos tidos por importantes, fixar preços e regular os processos de manufatura. Hoje, porém, se reconhece, não sem se ter travado uma longa luta, que a barateza e a boa qualidade das mercadorias são mais eficientemente atendidas deixando-se os produtores e vendedores perfeitamente livres, sob a única restrição de igual liberdade para os compradores se suprirem em outra parte. É a doutrina chamada do livre-câmbio, que repousa sobre fundamentos diversos do princípio da liberdade individual afirmado neste ensaio, embora igualmente sólidos. Restrições ao comércio, ou à produção de fins comerciais, são, na verdade, atos de coação, e tudo que é coagido, *qua* coagido, é um mal. Mas as coações em apreço afetam, apenas, aquela parte da conduta que a sociedade é competente para coagir, e são injustos unicamente porque, de fato, não produzem os resultados almejados. Assim como o princípio da liberdade individual não é envolvido na doutrina do livre-câmbio, assim também não o é na maior parte das questões que surgem a respeito dos limites dessa doutrina; como, por exemplo, sobre que soma de controle público é admissível para prevenir a fraude por adulteração; até onde precauções sanitárias, ou disposições para proteger os trabalhadores empregados em ocupações perigosas, devem ser impostas aos empregadores. Tais questões envolvem considerações de liberdade somente em tanto que deixar o povo entregue a si mesmo é sempre melhor, *coeteris paribus*, do que o controlar. Mas que ele pode legitimamente ser controlado em vista de tais fins, é um princípio inegável. De outro lado, há questões relativas à interferência no comércio que constituem, essencialmente, questões de liberdade, tais como a lei do Estado do Maine já referida, a proibição da importação de ópio na China, a restrição da venda de venenos, casos, todos, em suma, nos quais a finalidade da interferência é impossibilitar ou dificultar que se obtenha uma certa mercadoria. Essas interferências são impugnáveis, como inflações, não da liberdade do produtor ou do vendedor, mas da liberdade do comprador.

Um desses exemplos, o da venda de venenos, abre uma questão nova – os limites convenientes daquilo que se pode chamar funções de polícia: até que ponto a liberdade pode ser legitimamente invadida para fins de prevenção do crime ou de acidentes. Uma das funções governamentais incontrovertidas é tomar precauções contra o crime antes da sua prática, tanto quanto a de investigá-lo e puni-lo depois. A função preventiva do governo, entretanto, presta-se muito mais a abusos, em prejuízo da liberdade, que a função repressiva, pois que dificilmente se encontra aspecto da legítima liberdade de ação de um ser humano que não possa ser concebido, até demais, como incrementador de facilidades para uma ou outra forma de delinquência. Todavia, se uma autoridade pública, ou mesmo um particular, vê alguém evidentemente preparando-se para cometer um crime, nem um nem outro são obrigados a conservar-se inativos até que ele seja cometido, mas podem interferir para o obstar. Se nunca se trouxessem ou usassem venenos para propósitos outros que o de assassinar, justificar-se-ia proibir a sua fabricação e venda. Eles podem, contudo, ser necessários não só para fins inocentes, como também para fins úteis, e não é possível impor restrições num caso sem operarem no outro. De outro lado, é função própria da autoridade pública a prevenção de acidentes. Se alguém foi visto, por um agente da autoridade ou outra qualquer pessoa, tentando atravessar uma ponte verificada perigosa, e não havia tempo de adverti-lo do perigo, essas pessoas podiam agarrá-lo e trazê-lo para trás sem lhe infringir realmente a liberdade: pois a liberdade consiste em fazer o que se deseja, e ele não deseja cair no rio. Não obstante, quando não há certeza, mas apenas perigo de um mal, ninguém, a não ser a própria pessoa, pode julgar da suficiência do motivo que pode levá-la a correr o risco. Nesse caso, portanto, a menos que se trate de uma criança, ou de um tresvariado, ou de alguém num estado de excitação ou de absorção incompatível com o pleno uso da faculdade reflexiva, deve-se apenas, penso, adverti-la do perigo, não impedi-la à força de se expor a ele. Considerações análogas, aplicadas a uma questão como a venda de venenos, podem habilitar-nos a decidir quais, entre os modos possíveis de regulamentação, contrariam, ou não, o princípio. Uma cautela, por exemplo, como a de marcar a droga com alguma palavra que exprima o seu caráter perigoso, pode ser imposta sem violação da liberdade: não é possível que o comprador queira ignorar ter a coisa por ele possuída propriedades venenosas. Mas exigir, em todos os casos, o certificado de um profissional da medicina, tornaria algumas vezes impossível, sempre dispendioso, obter o artigo para usos legítimos. Parece-me que o único modo pelo qual se pode pôr dificuldades ao crime que se cometa com esses meios, sem qualquer infração, que mereça levada em conta, à liberdade dos que desejem a substância venenosa para outros fins, consiste em providenciar o que, na linguagem adequada de Bentham, se chama "prova preconstituída" *(pre-appointed evidence)*. Essa cautela é familiar a todos no caso de contratos. É usual e justo que a lei, quando um contrato é assentado, exija, como condição da obrigação de o cumprir, a observância de certas formalidades, tais como assinaturas, atestação de testemunhas, e análogas, a fim de que, no caso de disputa subsequente, possa haver prova de que realmente se convencionou o contrato e nas circunstâncias nada houve que o invalidasse ante a lei. O efeito disso é suscitar grandes obstáculos aos contratos fictícios, ou aos contratos feitos em circunstâncias que, se conhecidas, destruiriam a sua validez. Precauções de natureza similar poderiam ser impostas à venda de artigos próprios para servirem de instrumentos de crimes. O vendedor, por exemplo, poderia ser solicitado a lançar num registro a época exata da transação, o nome e o endereço do comprador, a precisa qualidade e quantidade vendida; a perguntar o fim para que o artigo é necessitado, e registrar a resposta recebida. Quando não houvesse prescrição médica, a presença de alguma terceira pessoa poderia ser exigida, para recordar o fato ao comprador, no caso de mais tarde haver razão para acreditar ter sido o artigo aplicado a propósitos criminosos. Tal regulamentação não seria, em regra, impedimento material a obter o artigo, mas um obstáculo muito considerável a se fazer dele um uso impróprio que não fosse descoberto.

O direito inerente à sociedade de opor precauções prévias aos crimes contra ela sugere as limitações óbvias à máxima de que não se pode, com propriedade, em matéria de prevenção ou repressão, visar a má conduta relativa puramente a si próprio. A embriaguez, por exemplo, nos casos ordinários, não é assunto adequado à interferência legislativa; mas eu julgaria perfeitamente legítimo que uma pessoa já uma vez condenada por um ato de violência contra outrem sob a influência da bebida fosse colocada sob uma restrição específica da lei, pessoal a ela; e que se, depois disso, fosse encontrada ébria, se visse sujeita a uma pena, e se, nesse estado, houvesse cometido outro delito, a punição deste se tornasse mais severa. Embebedar-se, para alguém que a bebida excita a fazer mal aos semelhantes, é um crime contra os outros. Assim também, a ociosidade, salvo em quem receba do público o sustento, ou quando ela constitua uma infração de contrato, não pode, sem tirania, tornar-se objeto de punição legal; mas se por ociosidade, bem como por qualquer outra causa evitável, alguém falta à execução de deveres legais para com outrem, por exemplo ao sustento dos filhos, não é tirania forçá-lo, pelo trabalho compulsório se nenhum outro meio é eficaz, a cumprir essa obrigação.

Há, ainda, muitos atos que, sendo diretamente injuriosos apenas aos próprios agentes, a lei não deve interdizer, mas, se feitos publicamente, violam as boas maneiras, e, entrando assim na categoria das ofensas aos outros, podem ser legitimamente proibidos. Desse gênero são os agravos à decência. Sobre isso é desnecessário deter-nos, tanto mais que apenas indiretamente se liga ao nosso assunto, a condenação da publicidade possuindo a mesma força no caso de muitas ações não reprocháveis em si mesmas, nem tidas por tal.

Há uma outra questão para a qual se deve achar uma resposta compatível com os princípios firmados. Em casos de conduta pessoal julgados censuráveis, mas que o respeito à liberdade impede a sociedade de prevenir ou reprimir, porque o mal diretamente resultante cai todo sobre o autor; o que o autor é livre de fazer, podem outros ser igualmente livres de aconselhar ou instigar? Essa questão apresenta dificuldade. O caso de uma pessoa que solicita outra a praticar um ato não é estritamente um caso de conduta relativa a si mesmo. Dar conselhos ou incitar alguém é um ato social e pode, portanto, como, em geral, as ações que afetam os outros, ser socialmente controlado. Se se reflete um pouco, contudo, corrige-se a primeira impressão, vendo-se que, se o caso não está estritamente dentro da definição da liberdade individual, entretanto as razões sobre as quais se funda o princípio da liberdade se lhe aplicam. Se se deve conceder às pessoas que ajam, no que quer que respeite somente a elas, como lhes pareça melhor, sob o seu próprio risco, igualmente se deve dar-lhes liberdade para consultarem outrem sobre o que seja próprio para ser assim feito, para trocarem opiniões, para oferecerem e receberem sugestões. O que quer que seja permitido fazer, deve ser permitido aconselhar que se faça. A questão torna-se duvidosa somente quando o instigador tira um proveito pessoal do conselho; quando, para fins de subsistência ou de ganho pecuniário, faz promover o que a sociedade e o Estado consideram um mal a sua ocupação. Aí, de fato, se introduz um novo elemento que complica a coisa, a saber, a existência de classes de pessoas de interesse oposto ao que é considerado o bem público, e cujo modo de viver se baseia na contradição a ele. Deve-se, ou não, interferir nisso? Deve-

-se, por exemplo, tolerar a luxúria, e assim também o jogo; mas deve alguém ter liberdade para ser um rufião ou para explorar uma casa de tavolagem? O caso é dos que se mantêm na exata linha divisória entre dois princípios, e não é desde logo visível a qual dos dois pertence com propriedade. Há argumentos a favor de ambos os lados. Do lado da tolerância pode-se dizer que o fato de se entregar a algo como ocupação, e disso viver e se aproveitar, não pode tornar criminoso aquilo que, se não constituísse a ocupação do que se vive, seria admissível; que o ato deve ser coerentemente permitido ou coerentemente proibido; que, se os princípios até aqui sustentados são verdadeiros, à sociedade não compete, *como* sociedade, decidir se algo, que concerne somente ao indivíduo, é errado; que ela não pode ir além da dissuasão, e que, também, se uma pessoa é livre para dissuadir, outra deve ser igualmente livre para persuadir. Em contrário pode-se afirmar: que, embora não se justifique o público ou o Estado decidam, autoritariamente, para fins de repressão ou punição, que tal ou tal conduta, que afeta apenas interesses individuais, é boa ou má, é plenamente legítimo presumam, se a olham como má, que a questão é, afinal, discutível; que, suposto isso, eles não podem estar agindo erradamente quando se esforçam por excluir a influência de solicitações que não são desinteressadas, de instigadores que talvez não possam ser imparciais – que têm um direto interesse pessoal num dos lados, precisamente aquele que o Estado crê errado, e que confessadamente o promovem por puros objetivos pessoais. É possível, ainda, insistir-se em que seguramente nada se pode perder, o bem não é sacrificado com o se regularem assim matérias, de modo que as pessoas façam a sua escolha, sábia ou estupidamente, segundo a própria persuasão, livres, o quanto possível, de artifícios de outros que, com propósitos interessados, lhes estimulem as inclinações. Assim (pode-se dizer), embora os regulamentos respeitantes aos jogos ilícitos sejam totalmente indefensáveis – embora todos devam ter a liberdade de jogar na sua casa ou na de outrem, ou em algum lugar de reunião estabelecido por contribuições suas e aberto apenas aos sócios e suas visitas – já as casas de tavolagem públicas não devem ser permitidas. É verdade que a proibição jamais é efetiva e que, qualquer que seja a soma de poder tirânico atribuída à polícia, as casas de tavolagem podem manter-se sob outros pretextos. Mas pode-se compeli-las a conduzirem as suas atividades com certo grau de segredo e mistério, de maneira que, salvo os que as procurem, ninguém saiba nada sobre elas; e a sociedade não deve visar mais do que isso. Há considerável força nesses argumentos. Não me aventurarei a decidir se são suficientes para justificarem a anomalia moral de punir o acessório quando o principal é (e deve ser) concedido, de multar e aprisionar o rufião, mas não o impudico, o dono da casa de jogo, mas não o jogador. Ainda menos se deve interferir nas operações comuns de comprar e vender com semelhantes fundamentos. Quase tudo que se compra e vende pode ser usado em excesso, e os vendedores têm interesse pecuniário em estimular o exagero. Mas não se pode basear nisso argumentação nenhuma em favor, por exemplo, da lei do Maine, pois que o uso legítimo das bebidas fortes torna indispensável a classe dos comerciantes dessas bebidas, embora se interessem por que se abuse delas. Contudo, tal interesse em promover a intemperança é um mal efetivo e justifica que o Estado imponha restrições e exija garantias que, sem essa justificação, infringiriam a liberdade legítima.

Uma nova questão consiste em dever, ou não, o Estado desencorajar indiretamente uma conduta que ele permite, mas que, não obstante, julga contrária aos melhores interesses do agente; saber, por exemplo, se deveria tomar medidas que tornassem mais custosos os meios da embriaguez, ou aumentar a dificuldade de os procurar limitando os locais da venda. Nisso, como em muitas outras questões práticas, se requerem muitas distinções. Taxar estimulantes com o único propósito de fazer a sua obtenção mais difícil é uma medida que apenas em grau difere da completa proibição, e só se justificaria se esta se justificasse. Cada aumento de custo é uma proibição para aqueles cujos meios não vão até o preço encarecido. E para aqueles cujos meios chegam lá, é uma penalidade que se lhes impõe pela satisfação de um gosto particular. A sua escolha de prazeres, o seu modo de gastar dinheiro, uma vez satisfeitas as obrigações legais e morais para com o Estado e para com os indivíduos, são assuntos particulares deles, e devem assentar sobre a sua própria apreciação. Essas considerações podem parecer, à primeira vista, condenar a escolha de estimulantes como objetos especiais de taxação para fins de renda. É preciso, porém, lembrar que a taxação com propósitos fiscais é absolutamente inevitável; que na maior parte dos países é necessário que considerável parte dessa taxação seja indireta; que o Estado não pode, portanto, abster-se de lançar impostos, que para algumas pessoas podem ser proibitórios, sobre o uso de alguns artigos de consumo. Donde o dever do Estado de considerar, na imposição de taxas, que mercadorias são mais dispensáveis para os consumidores, e, *a fortiori*, de selecionar, de preferência, aquelas cujo uso além de quantidade muito moderada lhe parece positivamente nocivo. A taxação, pois, de estimulantes, até o ponto que produza a maior soma de renda (supondo que o Estado careça de toda a renda que ela produza), não só é admissível, como ainda merece ser aprovada.

A questão de fazer da venda dessas mercadorias um privilégio mais ou menos exclusivo deve ser solucionada diferentemente segundo as finalidades de que se tenciona tornar dependente a restrição. Todos os lugares de reunião pública exigem a presença da coação policial, e lugares do gênero em apreço peculiarmente, visto que propícios, de modo especial, ao surgimento de ofensas à sociedade. É, portanto, adequado confinar a venda de tais mercadorias (pelo menos, para consumo no lugar) a pessoas de conhecida e garantida respeitabilidade; regular o horário de abertura e fechamento do modo conveniente à vigilância pública, e cassar a licença se perturbações da paz se verificam repetidamente com a conivência ou pela incapacidade do dono, ou se a casa se torna ponto de reunião para se tramarem e prepararem atentados contra a lei. Não concebo que se justifique, em princípio, qualquer outra restrição. Limitar, por exemplo, o número das casas de cerveja e bebidas espirituosas, com o fim expresso de torná-las de mais difícil acesso, e de diminuir as ocasiões de tentação, não apenas expõe todos a uma inconveniência pelo fato de haver alguns que abusariam da facilidade, como ainda só é apropriado a um estado social em que as classes trabalhadoras são francamente tratadas como crianças ou selvagens, e postas sob uma coerção educativa para as adaptar à futura admissão aos privilégios da liberdade. Não é por esse princípio que se governam as classes trabalhadoras em qualquer país livre, e ninguém que dê à liberdade o valor devido assentirá em que sejam elas assim governadas, a não ser depois que se tenham esgotado todos os esforços no sentido de as educar para a liberdade e de as governar como a homens livres, e que se tenha definitivamente provado só ser possível governá-las como a crianças. Basta pôr essa alternativa para que se evidencie o absurdo de supor tenham sido tais esforços feitos em algum caso que se necessite considerar aqui. É somente por serem as instituições deste país um amontoado de incoerências, que encontram acolhida na nossa prática coisas que pertencem ao sistema de governo despótico, também chamado paternal, enquanto o liberalismo geral das nossas instituições impede a soma de controle necessária para dar à repressão uma eficácia positiva de educação moral.

Já se disse, numa das primeiras partes deste ensaio, que a liberdade do indivíduo, em coisas nas quais só ele é interessado, implica uma correspondente liberdade em qualquer número de indivíduos para se acordarem mutuamente em regular coisas que digam respeito a eles em conjunto, e só a eles e a mais ninguém. O problema é fácil enquanto a vontade desses indivíduos permanece inalterada. Mas, desde que ela pode mudar, é necessário, muitas vezes, mesmo em coisas em que são os únicos interessados, que esses indivíduos assumam obrigações recíprocas; e, quando o fazem, a regra adequada é que lhes cabe manter os compromissos. Todavia, nas leis, provavelmente de todos os países, essa regra geral conta algumas exceções. Não somente as pessoas não estão adstritas a obrigações que violam direitos de terceiros, mas ainda, algumas vezes, se considera razão suficiente para as liberar de uma obrigação o ser prejudicial a elas próprias. Neste e na maior parte dos países civilizados, por exemplo, uma convenção pela qual alguém se venda, ou se dê para ser vendido, como escravo, seria nula e sem efeito – nem a lei nem a opinião lhe atribuiriam validade. O fundamento para assim limitar o poder de voluntariamente dispor da própria sorte na vida é visível, e muito claramente se patenteia nesse caso extremo. A razão para não interferir nos atos voluntários de alguém a não ser tendo em vista os outros é a consideração pela sua liberdade. A sua escolha voluntária é prova de que o assim escolhido lhe é desejável, ou ao menos suportável, e atende-se melhor ao seu bem, em conjunto, permitindo-lhe que utilize os seus próprios meios de o buscar. Mas, vendendo-se a si mesmo como escravo, ele abdica da liberdade, renuncia a qualquer uso futuro dela para lá desse único ato. Portanto, anula, no próprio caso, a verdadeira finalidade que justifica permitir-se-lhe dispor de si. Já não é mais livre, mas está, daí por diante, numa posição que não mais se presume surja da sua vontade de permanecer nela. O princípio da liberdade não pode implicar que ele tenha a liberdade de não ter liberdade. Não é liberdade ser autorizado a alienar a liberdade. Essas razões, de tão conspícua força nesse caso particular, são, evidentemente, de muito mais larga aplicabilidade. Contudo, um limite é, por toda a parte, posto a elas pelas necessidades da vida, que continuamente exigem, não, é claro, que renunciemos à liberdade, mas que consintamos nesta ou noutra limitação dela. O princípio, porém, que demanda liberdade incontrolada em tudo o que diz respeito apenas aos agentes, requer que os que se tornaram reciprocamente obrigados em coisas que não concernem a um terceiro possam liberar, um ao outro, da obrigação. E, mesmo sem essa liberação voluntária, não há, talvez, contratos ou obrigações, exceto relativos a dinheiro ou ao que tem valor de dinheiro, a respeito de que se possa ousar dizer que não haja nenhuma liberdade de retratação. Guilherme de Humboldt, no excelente ensaio já citado por mim, estabelece como convicção sua que obrigações que envolvam relações pessoais ou serviços nunca deveriam ter efeitos legais além de uma duração limitada; e que o mais importante desses compromissos, o casamento, possuindo a peculiaridade de se frustrarem os seus objetivos se os sentimentos de ambas as partes já não se apegam mais a ele, deve ter a sua dissolução dependente apenas da vontade declarada de ambas as partes nesse sentido. O assunto é muito importante e muito complicado para ser discutido num parêntese, e eu só o toco em tanto que é necessário para fins ilustrativos. Se o laconismo e a generalidade da dissertação de Von Humboldt não o tivessem forçado, nesse exemplo, a contentar-se com enunciar a conclusão sem discutir as premissas, ele teria indubitavelmente reconhecido que a questão não se pode debater com fundamentos tão simples como aqueles a que se confina. Quando alguém, ou por explícita promessa, ou pela maneira de se conduzir, levou outrem a contar com a continuidade sua em certa forma de agir – a construir esperanças, a fazer cálculos e a apoiar uma parte qualquer do plano de vida sobre a suposição dessa continuidade – uma série nova de obrigações morais lhe surgem para com essa outra pessoa, sobre as quais ele pode passar, mas que não pode ignorar. E, ainda uma vez, se à relação entre as duas partes contratantes se seguiram consequências para outrem, se essa relação colocou terceiros numa posição especial ou, como no caso do matrimônio, chamou terceiros à vida, para ambas as partes contratantes surgem obrigações ante esses terceiros, cujo cumprimento ou, em todo o caso cujo modo de cumprimento, tem de ser grandemente afetado pela continuação ou pela ruptura do laço entre os contratantes originários. Não se conclui daí, nem eu posso admitir, que essas obrigações cheguem ao ponto de se exigir o cumprimento do contrato à custa, de qualquer forma, da facilidade da parte relutante, mas são um elemento que se não pode desprezar no problema. E mesmo que não devam influir na liberdade *legal* das partes de se desobrigarem do compromisso, como Von Humboldt defende (e eu também penso que não devem influir *muito*), necessariamente elas influem na liberdade *moral*. Uma pessoa é obrigada a ponderar todas essas circunstâncias antes de se decidir a um passo que pode afetar tão importantes interesses alheios; e, se não concede a atenção conveniente a esses interesses, é moralmente responsável pelo mal resultante. Fiz essas observações óbvias para melhor ilustrar o princípio geral da liberdade, e não porque se careça inteiramente delas nesta questão particular, que, ao contrário, é habitualmente discutida como se o interesse dos filhos fosse tudo, e dos adultos nada.

Eu já assinalei que, devido à ausência de quaisquer princípios gerais reconhecidos, a liberdade é, muitas vezes, concedida onde devia ser recusada e recusada onde devia ser concedida. E num dos casos em que, no mundo europeu moderno, o sentimento de liberdade é mais forte, ele está, a meu ver, completamente deslocado. Deve haver liberdade para se fazer aquilo de que se gosta no que é estritamente de interesse individual. Mas não deve haver liberdade para agir por outro, sob o pretexto de que os negócios do outro são os nossos próprios negócios. O Estado, ao mesmo tempo que respeita a liberdade de cada um no estritamente individual, é obrigado a manter um controle vigilante sobre o exercício de qualquer poder sobre os outros que conceda a alguém. Ele quase inteiramente desatende a essa obrigação no capítulo das relações de família – caso mais importante, pela sua direta influência sobre a felicidade humana, que todos os outros tomados conjuntamente. Não precisamos estender-nos aqui sobre o quase despótico poder dos maridos sobre as mulheres. Nada é mais necessário para o completo removimento do mal do que gozarem as mulheres dos mesmos direitos, e deverem receber a proteção da lei da mesma maneira, que todas as outras pessoas; além de que, nesse assunto, os defensores da injustiça estabelecida não se valem da reivindicação de liberdade, mas se apresentam, abertamente, como campeões da força. É no caso dos filhos que noções de liberdade mal-aplicadas constituem obstáculo real ao cumprimento dos deveres pelo Estado. Poder-se-ia quase pensar que os filhos de um homem são considerados, literalmente, e não metaforicamente, uma parte dele, tão ciosa é a opinião da menor interferência da lei no absoluto e exclusivo controle dos pais sobre os filhos – mais ciosa dessa do que de qualquer outra interferência na liberdade de ação de um indivíduo: tanto menor valor dão os homens à liberdade do que ao poder. Consideremos, por exemplo, o caso da educação. Não constitui quase um axioma, evidente por si mesmo, que o Estado deve solicitar e obrigar a educação, conforme a um certo tipo, de todo ser humano que é seu nacional?

Entretanto, quem não receia reconhecer e afirmar essa verdade? Quase ninguém, sem dúvida, negará ser dos mais sagrados deveres dos pais (ou, como a lei e o uso agora estabelecem, do pai), depois de terem trazido um ser humano ao mundo, darem-lhe uma educação que o adapte a bem desempenhar, na vida, o seu papel para com os outros e para consigo. Mas, enquanto unanimemente se declara isso dever paterno, raramente alguém, neste país, suportará que se fale em obrigar o pai a cumprir esse dever. Ao invés de se lhe reclamar algum esforço ou sacrifício para assegurar educação ao filho deixa-se à sua escolha aceitar, ou não, que ela seja gratuitamente atendida! Não se reconhece, ainda, que trazer à existência um filho sem uma justa perspectiva de poder dar-lhe não só alimento ao corpo, como também instrução e treino ao espírito, é um crime moral, tanto contra o infeliz rebento como contra a sociedade; e que, se o progenitor não satisfaz a essa obrigação, o Estado deve velar pelo seu cumprimento, à custa daquele, tanto quanto possível.

Uma vez admitido o dever de impor a educação universal, teriam fim as dificuldades a respeito do que o Estado deve ensinar, e como deve ensinar, que ora convertem o assunto num campo de batalha para seitas e partidos, consumindo, em querelas sobre a educação, tempo e trabalho que deveriam ser gastos em educar. Se o governo se resolvesse a exigir para cada criança uma boa educação, poderia poupar-se ao incômodo de a providenciar. Poderia deixar aos pais o obter a educação onde e como lhes agradasse, e contentar-se com auxiliar o pagamento das despesas de escola das crianças mais pobres, custeando as despesas totais das que não tenham quem por elas pague. As fundadas objeções que se fazem à educação pelo Estado não se aplicam à imposição pelo Estado da obrigação de educar, mas ao fato de assumir o Estado a direção dessa educação – o que é coisa inteiramente diversa. Eu estou tão longe como qualquer outro de pleitear fique a educação do povo, no todo ou em grande parte, nas mãos do Estado. Tudo o que se disse da importância da individualidade de caráter, e da diversidade de opiniões e de modos de conduta, envolve, como sendo da mesma indizível importância, a diversidade de educação. Uma educação geral pelo Estado é puro plano para moldar as pessoas de forma exatamente semelhante. E, como o molde em que são plasmadas é o que agrada a força dominante no governo, quer seja esta um monarca, um clero, uma aristocracia, quer a maioria da geração existente, a educação pelo Estado, na medida em que é eficaz e bem-sucedida, estabelece um despotismo sobre o espírito que, por uma tendência natural, conduz a um despotismo sobre o corpo. Uma educação estabelecida e controlada pelo Estado só deveria existir, se devesse, como um dentre muitos experimentos em competição, executado com o fim de exemplo e estímulo, para manter os outros em harmonia com um certo padrão de excelência. Realmente, apenas quando a sociedade se encontra, em geral, numa situação de tal atraso, que não poderia providenciar ou não providenciaria, por si mesma, quaisquer instituições convenientes de educação salvo empreendendo o governo a tarefa, só então, na verdade, pode o governo, como o menor de dois grandes males, tomar sobre si o cuidado das escolas e das universidades, como pode assumir o das sociedades anônimas quando o empreendimento privado, numa forma adequada à realização das grandes obras da indústria, não existe no país. Mas, em regra, se o país conta um número suficiente de pessoas qualificadas para atender à tarefa da educação sob os auspícios do governo, as mesmas pessoas teriam capacidade e boa vontade para fornecer uma educação igualmente boa dentro do princípio da voluntariedade, uma vez garantida a sua paga pela existência de uma lei que tornasse compulsória a educação, combinada com a ajuda do Estado aos incapazes de custear as despesas.

O meio por que se executaria a lei poderia não ser outro senão exames públicos extensivos a todas as crianças, desde tenros anos. Poder-se-ia fixar uma unidade na qual toda criança devesse sujeitar-se a exame que averiguasse se ele, ou ela, sabe lér. Se uma criança demonstra não o saber, o pai, a menos que tenha fundamento bastante para a excusa, poderia sofrer uma multa moderada, a ser satisfeita, se necessário, por trabalho e a criança ser posta em escola às suas expensas. Uma vez por ano, o exame seria renovado, com uma série de matérias gradualmente ampliada, de modo a tornar virtualmente compulsória a aquisição universal e, o que é mais, a universal retenção de um certo mínimo de conhecimento geral. Para lá desse mínimo, haveria exames facultativos sobre todos os assuntos, em que poderiam pleitear um certificado todos os que atingissem um certo padrão de proficiência. Para impedir o Estado de influências de modo inconveniente, através dessas medidas, a opinião, o conhecimento requerido para passar um exame (além das partes meramente instrumentais do conhecimento, como as línguas e o seu uso) se limitaria, mesmo nas mais altas categorias de exame, a fatos e à ciência positiva. Os exames sobre religião, política, ou outros tópicos controvertidos, não versariam sobre a verdade ou a falsidade das opiniões, mas sobre a matéria de fato de que tal opinião é sustentada, com tais fundamentos, por tais autores, escolas ou igrejas. Sob esse sistema, a geração nascente não estaria pior, em relação a todas as verdades controvertidas, do que se está no presente. Os seus membros seriam educados como anglicanos ou dissidentes tal como hoje, cuidando o Estado meramente de que fossem anglicanos instruídos ou dissidentes instruídos. Nada os impediria de obterem o ensino de religião, se os pais o quisessem, nas mesmas escolas em que se lhes ensinam outras coisas. Todas as tentativas do Estado para influir nas conclusões dos seus cidadãos sobre matérias debatidas são um mal. Mas ele pode, com muita propriedade, oferecer-se para averiguar e certificar que alguém possui o conhecimento preciso para tornar as suas conclusões, sobre qualquer assunto dado, dignas de atenção. Um estudante de filosofia estaria nas melhores condições para sofrer um exame sobre Locke e sobre Kant, quer siga um, quer siga outro, quer não siga nenhum dos dois; e não há objeção razoável a que se examine um ateu sobre as provas do cristianismo, desde que se não exija dele que nelas acredite. Penso, contudo, que os exames nos mais altos ramos do conhecimento deviam ser inteiramente voluntários. Dar-se-ia um poder muito perigoso aos governos permitindo-se a eles excluírem alguém de profissões, mesmo da profissão de mestre, em virtude de uma alegada deficiência de qualidades. E eu penso, com Guilherme de Humboldt, que graus, ou outros certificados públicos de aquisições científicas ou profissionais, deveriam ser dados a todos que se apresentem a exame e resistam à prova, mas não deveriam conferir vantagens sobre os competidores a mais do peso que a opinião pública atribua ao seu testemunho.

Não é apenas na matéria da educação que noções de liberdade deslocadas impedem se reconheçam obrigações morais da parte dos progenitores, bem como se imponham a eles obrigações legais, em casos nos quais se patenteiam as mais vigorosas razões para aquele reconhecimento, sempre, e para esta imposição, muitas vezes. O fato, em si, de dar existência a um ser humano, é uma das ações de maior responsabilidade na sequência da vida. Assumir essa responsabilidade - conceder uma vida que pode ser uma maldição ou uma bênção - sem que o ser vindo à luz conte, ao menos, com as probabilidades ordinárias de uma existência desejável, é um crime contra esse ser. E num país superpovoado, ou ameaçado disso, procriar filhos para lá de um número muito pequeno, com o efeito de reduzir a paga do trabalho pela sua concorrência, constitui um sério agravo a todos os que vivem da remuneração do seu labor. As leis que, em muitos países do continente, proíbem o matrimônio se as partes não podem demonstrar que possuem os meios de sustentar uma família, não excedem os poderes legítimos do Estado; e, quer tais leis sejam convenientes, quer não (problema esse que depende, sobretudo, das circunstâncias e sentimentos locais), elas não são impugnáveis como violações da liberdade. Tais leis são interferências do Estado para proibir um ato pernicioso - um ato danoso aos outros, que deve ser socialmente reprovado e estigmatizado, mesmo quando não se julgue oportuno acrescentar a punição legal. Contudo, as ideias correntes de liberdade, que se curvam tão facilmente ante reais infrações da liberdade do indivíduo em coisas que só a ele concernem, repeliriam a tentativa de pôr freio às inclinações dele, quando a consequência de tal indulgência é uma vida (ou vidas) de miséria e de depravação para a prole, com inúmeras más consequências para aqueles que estiverem suficientemente ao alcance para serem, de alguma maneira, afetados pelas ações dos novos seres. Quando comparamos o estranho respeito dos homens pela liberdade com a sua estranha falta de respeito pela mesma liberdade, poderíamos imaginar que uma pessoa tem um direito imprescindível a fazer mal aos outros, e absolutamente nenhum direito a se conceder um prazer sem causar sofrimento a alguém.

Reservei para o último lugar uma grande classe de questões relativas aos limites da interferência governamental, as quais, embora ligadas de perto com o assunto deste ensaio, não pertencem estritamente a ele. Há casos em que as razões contra a interferência não versam sobre o princípio de liberdade; a questão não é de restringir as ações dos indivíduos, mas de auxiliá-los: pergunta-se se o governo deve fazer, ou provocar que se faça, algo em benefício dos indivíduos, ao invés de deixar que eles próprios o façam, individualmente ou em associação voluntária.

As objeções à interferência governamental, quando ela não envolve desrespeito à liberdade, podem ser de três gêneros.

O primeiro gênero é relativo a coisas mais adequadas a serem feitas pelos indivíduos do que pelo governo. Em geral, ninguém está mais em condições de conduzir um negócio, ou de determinar como e por quem deva ser conduzido, do que os pessoalmente interessados nele. Esse princípio condena as interferências, outrora tão comuns, da Legislatura, ou dos funcionários governamentais, nos processos ordinários da indústria. Essa parte do assunto, porém, foi suficientemente explanada por autores de economia política, e não se relaciona particularmente com os princípios deste ensaio.

A segunda objeção é ligada mais de perto com o nosso assunto. Há muitos casos nos quais, embora os indivíduos, em regra, não possam fazer a coisa em apreço tão bem como os funcionários governamentais, é, entretanto, desejável que seja feita por eles, antes que pelo governo, como um meio para a sua educação mental – um modo de robustecer as suas faculdades ativas, exercitando o seu discernimento, e proporcionando-lhes familiaridade com os assuntos cujo trato lhes é assim deixado. Esta é, não a única, mas uma das principais razões que recomendam o julgamento pelo júri (em casos não políticos), as instituições locais de caráter livre e popular; a condução dos empreendimentos industriais e filantrópicos por associações voluntárias. Essas questões não são de liberdade, e só por tendências remotas se ligam ao assunto; mas são questões de desenvolvimento. Esta não é a ocasião de se demorar nessas coisas como aspectos da educação nacional, como constituindo, na verdade, o treinamento peculiar de um cidadão, a parte prática da educação política de um povo livre, que o tira para fora do círculo estreito do egoísmo pessoal e familiar, e o acostuma à compreensão dos interesses coletivos, à administração de interesses coletivos – habituando-o a agir por motivos públicos e semipúblicos e a guiar a conduta por alvos que unem as pessoas, ao invés de as isolarem umas das outras. Sem esses hábitos e poderes, uma constituição livre não pode ser cumprida nem preservada, como se exemplifica pela natureza muito frequentemente transitória da liberdade política em países nos quais ela não repousa sobre uma base suficiente de liberdades locais. A administração dos negócios puramente locais pelas localidades, e dos grandes empreendimentos industriais pela união daqueles que voluntariamente fornecem os meios pecuniários, é, ademais, recomendada por todas as vantagens atribuídas neste ensaio à individualidade de desenvolvimento e à diversidade dos modos de ação. As operações governamentais tendem a ser, por toda a parte, semelhantes. Com os indivíduos e as associações voluntárias, ao contrário, há ensaios diversos, e uma infinda variedade de experiência. O que o Estado pode utilmente fazer é tornar-se um depósito central da experiência resultante dos muitos ensaios, e um ativo fator da sua circulação e difusão. O que lhe compete é habilitar cada experimentador a se beneficiar das experiências alheias, ao invés de não tolerar outras experiências senão as próprias.

A terceira e mais eficaz razão para limitar a interferência do governo é o grande perigo de lhe aumentar desnecessariamente o poder. Toda função que se acrescente às já exercidas pelo governo difunde mais largamente a influência deste sobre as esperanças e os temores, e converte, cada vez mais, a parte mais ativa e ambiciosa do público em pingentes do governo, ou de algum partido que visa tornar-se governo. Se as estradas, as ferrovias, os bancos, os escritórios de seguros, as grandes sociedades anônimas, fossem ramos do governo; se, ademais, as corporações municipais e os conselhos locais, com tudo que hoje recai sob a sua alçada, se tornassem departamentos da administração central; se os empregados de todos esses diversos empreendimentos fossem nomeados e pagos pelo governo, e deste dependessem para cada ascensão na vida, nem toda a liberdade de imprensa e toda a constituição popular da legislatura poderiam fazer deste, ou de outro país, países livres senão de nome. E o mal seria tanto maior quanto mais eficiente e cientificamente se construísse a máquina administrativa – quanto mais hábil fosse o plano para obter que as mais qualificadas mãos e cabeças se pusessem a fazê-la funcionar. Na Inglaterra se propôs recentemente que todos os funcionários civis do governo fossem selecionados por concurso, a fim de trazer para tais empregos as pessoas mais inteligentes e instruídas que se pudessem encontrar, e muito se tem escrito e dito pró e contra essa proposta. Um dos argumentos em que os adversários da medida mais têm insistido é o de que a ocupação de funcionário efetivo do Estado não abre suficientes perspectivas de ganho e de importância para atrair os mais altos talentos, os quais sempre poderão achar uma carreira mais convidativa nas profissões, ou no serviço das companhias ou de outros corpos públicos. Não é de surpreender que esse argumento haja sido usado pelos partidários da proposta, como resposta à principal dificuldade por ela apresentada. Vindo dos adversários, ele é bastante estranho. O que se apresenta como objeção constitui a válvula de segurança do sistema proposto. Se, na verdade, todos os altos talentos do país *pudessem* ser arrastados para o serviço do governo, uma proposta tendente a esse resultado bem poderia inspirar desassossego. Se cada aspecto dos interesses sociais que requeresse concerto organizado, ou vistas largas e compreensivas, estivesse nas mãos do governo, e se se preenchessem as repartições governamentais com os homens mais capazes, toda a cultura adquirida e toda a inteligência experimentada do país, salvo a puramente especulativa, se concentrariam numa burocracia numerosa, a quem somente o resto da comunidade procuraria para todas as coisas: a multidão para se orientar e receber ordens em tudo que tivesse a fazer; os capazes e ambiciosos para o seu progresso pessoal. Ser admitido nas fileiras dessa burocracia e, quando admitido, progredir lá dentro, seriam os únicos objetos de ambição. Sob esse regime, não só o público exterior fica malqualificado, por falta de experiência prática, para julgar e censurar o modo de ação da burocracia, mas ainda, se os acidentes de um funcionamento despótico, ou do funcionamento natural de instituições populares, ocasionalmente elevarem ao cume um governante, ou governantes, de tendências reformadoras, nenhuma reforma contrária aos interesses da burocracia poderá efetuar-se. Tal é a melancólica situação do Império Russo, como a mostram os relatos dos que têm tido suficiente oportunidade de observação. O próprio czar é sem poder contra o corpo burocrático; ele pode mandar alguns dos burocratas para a Sibéria, mas não pode governar sem os burocratas ou contra a vontade dos burocratas. Em países de civilização mais avançada e de um espírito mais revolucionário, o público, acostumado a esperar que o Estado faça algo por ele, ou, ao menos, a não fazer nada por si sem indagar do Estado, não apenas se lhe permite fazê-lo, mas ainda como deve fazê-lo, naturalmente responsabiliza o Estado por todo o mal que lhe acontece, e, quando o mal se excede à soma de paciência, se levanta contra o governo, e faz o que se chama uma revolução; à vista do que alguém outro, com ou sem legítima autoridade recebida da nação, salta no posto, expede ordens à burocracia, e tudo se põe a marchar como dantes, sem se ter mudado a burocracia, e sem ninguém ser capaz de tomar-lhe o lugar.

Espetáculo muito diferente, exibe-o o povo habituado a despachar os próprios negócios. Na França, grande número de pessoas tendo passado pelo serviço militar, havendo muitos alcançado ao menos o posto de oficiais inferiores, em cada insurreição popular existem vários indivíduos competentes para lhe tomarem a direção, e improvisarem um plano razoável a ser levado à prática. O que os franceses são nos assuntos militares, são os americanos em todo gênero de negócios civis: se ficarem sem governo, cada grupo deles é capaz de improvisar um, e de conduzir este ou aquele negócio público, qualquer que seja, com suficiente soma de inteligência, ordem e decisão. Isso é o que todo povo livre deve ser. E é certo que um povo capaz disso é livre. Nunca se deixará escravizar por um homem, ou por um grupo de homens, porque eles sejam capazes de colher e manejar as rédeas da administração central. Nenhuma burocracia pode nutrir a esperança de levar um povo como esse a fazer ou a tolerar algo de que não goste. Mas onde tudo se faça por intermédio da burocracia, nada a que a burocracia realmente se oponha, pode de qualquer modo ser feito. A constituição desses países burocráticos é uma organização da experiência e da capacidade prática da nação sob a forma de um corpo disciplinado destinado a governar o resto; e, quanto mais perfeita essa organização em si, quanto mais sucesso colha em atrair para si e em educar por si as pessoas de maior aptidão de todas as fileiras da comunidade, mais completa é a escravidão de todos, inclusive dos membros da burocracia. Porque os governantes são tanto os escravos da sua organização e disciplina quanto os governados o são dos governantes. Um mandarim chinês é tanto o instrumento e a criatura de um despotismo quanto o mais humilde lavrador. Um jesuíta é, no mais alto grau de aviltamento, o escravo da sua ordem, embora a própria ordem exista para o poder coletivo e para a importância dos seus membros.

Não se deve esquecer, também, que a absorção de toda a melhor capacidade do país pelo corpo governante, cedo ou tarde se torna fatal para a atividade da mente e para o progresso desse próprio corpo. Com uma estreita ligação interna, executando um sistema que, como todos os sistemas, procede por normas fixas, o corpo oficial está sob a constante tentação de submergir numa indolente rotina, ou se, de quando em quando, deserta do círculo do cavalo de moinho, de se lançar em alguma empresa imatura, semiexaminada, que feriu a fantasia de algum membro dirigente do corpo. E o único obstáculo a essas tendências estreitamente ligadas, ainda que aparentemente opostas, o único estímulo capaz de conservar a capacidade do corpo em harmonia com um padrão elevado, é a responsabilidade ante a crítica vigilante de uma igual capacidade exterior ao corpo. É indispensável, portanto, que possam existir, independentemente do governo, meios de formar tal capacidade, de lhe fornecer as oportunidades e a experiência necessárias a uma correta apreciação dos grandes assuntos práticos. Se possuíssemos permanentemente um hábil e eficiente corpo de funcionários – acima de tudo, capaz de dar origem ou de querer adotar aperfeiçoamentos; se não quiséssemos a nossa burocracia degenerada numa pedantocracia, esse corpo não deveria monopolizar todas as ocupações que formam e cultivam as faculdades requeridas para o governo dos homens.

Determinar o ponto em que começam tão formidáveis males para a liberdade e progresso humanos, ou antes em que eles começam a predominar sobre os benefícios que acompanham a aplicação coletiva da força da sociedade, sob a direção dos seus chefes reconhecidos, à remoção dos obstáculos que entulham a estrada do bem-estar; assegurar tantas das vantagens do poder e da inteligência centralizados quantas se possa ter sem transformar uma proporção muito grande da atividade comum em leito por que flua a corrente governamental - eis uma das questões mais difíceis e mais complicadas da arte de governar. Trata-se, numa grande medida, de uma questão de minúcias, na qual não devem ser perdidas de vista muitas e variadas considerações, e regras absolutas não podem ser fixadas. Creio, porém, que o princípio prático em que reside a salvação, o ideal a ter em vista, o padrão por que aferir todas as medidas intentadas para vencer a dificuldade, se pode exprimir nestas palavras: a maior disseminação de poder compatível com a eficiência, mas a maior centralização possível de informação, e a maior difusão dela a partir do centro. Assim, na administração municipal haveria, como nos estados da Nova Inglaterra, uma distribuição muito minuciosa entre funcionários isolados, escolhidos pelas localidades, de todas as funções que não é preferível deixar com as pessoas diretamente interessadas; mas, ao lado disso, em cada setor de negócios locais uma superintendência central, ramo do governo geral. O órgão dessa superintendência concentraria, como num foco, a informação e experiência vária derivada da condução desse ramo de negócios públicos em todas as localidades, e derivada, ainda, de tudo análogo feito nos países estrangeiros, e dos princípios gerais da ciência política. Esse órgão central teria o direito de saber tudo que se faz, e o seu dever específico seria esse de tornar o conhecimento adquirido aqui proveitoso acolá. Emancipado, pela sua elevada dignidade e pela sua compreensiva esfera de observação, dos preconceitos mesquinhos e das vistas estreitas de uma localidade, a sua opinião contaria, naturalmente, muito prestígio; mas o seu poder efetivo, como instituição permanente, seria, concebo, limitada a compelir os funcionários locais a obedecer às leis estabelecidas para os guiar. Em todas as coisas não previstas em normas gerais, ditos funcionários seriam deixados ao seu próprio critério, responsáveis ante os seus eleitores. Pela desobediência às normas responderiam legalmente, e tais normas, estatuí-las-ia o Legislativo. A autoridade administrativa central velaria somente pela sua execução, e, não executadas elas de modo conveniente, apelaria, de acordo com a natureza do caso, para os tribunais que imporiam a lei, ou para os eleitores que poderiam substituir os funcionários que não a houvessem executado de acordo com o espírito dela. Tal é, na sua concepção geral, a superintendência que se pretende exerça, centralmente, o Conselho da Lei dos Pobres sobre os administradores da taxa dos pobres em todo o país. Quaisquer poderes que o Conselho exerça além desse limite são justos e necessários no caso específico, para a cura de hábitos arraigados de má administração, em matérias que afetam profundamente, não as localidades, mas a comunidade inteira; desde que a nenhuma localidade assiste um direito moral a tornar-se, por desgoverno, um ninho de pauperismo, necessariamente transbordando sobre outras localidades, e prejudicando a condição moral e física de toda a comunidade trabalhadora. Os poderes de coerção administrativa e de legislação subalterna possuídos pelo Conselho da Lei dos Pobres (mas que, devido ao estado da opinião sobre a matéria, têm sido mui parcamente exercidos por ele), embora perfeitamente justificáveis num caso de interesse nacional de primeira ordem, estariam completamente deslocados na superintendência de interesses puramente locais. Contudo, um órgão central de informação e instrução para todas as localidades seria igualmente valioso em todos os setores da administração. Nunca é demasiado esse gênero de atividade governamental, que não impede, antes auxilia e estimula, o esforço e o desenvolvimento dos indivíduos. O mal começa quando, ao invés de excitar a atividade e as energias dos indivíduos e grupos, o governo troca a sua atividade pela deles; quando, ao invés de informar, aconselhar, e, na oportunidade, censurar, ele os faz trabalhar sob grilhões, ou lhes determina fiquem de lado e faz o trabalho deles em seu lugar. O valor de um Estado, afinal de contas, é o valor dos indivíduos que o constituem. E um Estado que pospõe os interesses da expansão e elevação mentais *destes* a um pouco mais de perícia administrativa nas particularidades dos negócios, ou à aparência disso que a prática dê; um Estado que amesquinha os seus homens, a fim de que sejam instrumentos mais dóceis nas suas mãos, ainda que para propósitos benéficos, descobrirá que com homens pequenos nada grande se pode fazer realmente; e que a perfeição do maquinário a que sacrificou tudo não lhe aproveitará, no fim, nada, por carência da força vital que, para a máquina poder trabalhar mais suavemente, ele preferiu proscrever.

Notas

1. Estas palavras apenas tinham sido escritas quando, como para lhes dar um enfático desmentido, surgiu o governo dos processos contra a imprensa de 1858. Essa mal-apreciada interferência na liberdade de discussão pública não me induziu, todavia, a modificar uma única palavra no texto, nem, de forma alguma, abalou a minha convicção de que, excetuados momentos de pânico, a era dos castigos e penalidades por discussões políticas passou no nosso país. Porque, em 1° lugar, não se persistiu nos processos, e, em 2°, eles jamais foram, para falar com propriedade, processos políticos. A ofensa arguida não era a de atacar as instituições, ou os atos ou as pessoas dos governantes, mas a de pôr em circulação o que se julgava uma doutrina imoral, a de legitimidade do tiranicídio.
Se os argumentos deste capítulo valem alguma coisa, deve existir a mais ampla liberdade de professar e discutir, como matéria de convicção ética, qualquer doutrina, ainda que considerada imoral. Seria, pois, irrelevante e deslocado examinar aqui se a doutrina do tiranicídio merece esse qualificativo. Eu me contentarei com dizer que o assunto foi, em todos os tempos, uma das mais abertas questões de moral; que o ato de um cidadão particular abater um criminoso que, pondo-se acima da lei, se colocou fora do alcance da punição ou do controle legal, tem sido julgado por nações inteiras, e por alguns dos melhores e mais sábios homens, não um crime, mas um ato de elevada virtude; e que, certo ou errado, ele não é da natureza do assassínio, mas da guerra civil. Assim sendo, sustento que a instigação ao tiranicídio pode, num caso específico, ser objeto de pena, mas só se um ato franco a seguir, e se se possa estabelecer uma conexão, ao menos provável, entre o ato e a instigação. Ainda aí, não será um governo estrangeiro, mas o próprio governo visado, o único que pode, no exercício da sua autodefesa, punir legitimamente os ataques dirigidos contra a sua existência.

2. Thomas Pooley, júri de Bodmin, 31 de julho de 1857. Em dezembro, recebeu o indulto da Coroa.

3. George Jacob Holyoake, 17 de agosto de 1857; Edward Truelove, julho de 1857.

4. Barão de Gleichen, Corte de Polícia da Rua Marlborough, 4 de agosto de 1857.

5. Ao par de uma ostentação generalizada dos piores lados do nosso caráter nacional, verificou-se, quando da insurreição dos cipaios, uma larga difusão das paixões da intolerância de que se pode tirar um amplo ensinamento. Os delírios de fanáticos e charlatães de cima de púlpitos podem ser indignos de nota. Mas os chefes do partido evangélico anunciaram, como princípios seus, para o governo de hindus e maometanos, os de que escola nenhuma na qual não se ensinasse a Bíblia fosse sustentada pelo dinheiro público e, como consequência necessária, emprego público algum fosse dado a quem não professasse, real ou supostamente, o cristianismo. Relata-se que um subsecretário de Estado, em discurso endereçado aos seus eleitores, a 12 de novembro de 1857, disse: "A tolerância da sua fé" (a fé de 100 milhões de súditos britânicos), "a tolerância da superstição por eles chamada religião, por parte do governo britânico, produziria o efeito de retardar o predomínio do nome britânico e de impedir a salutar extensão do cristianismo. A tolerância foi a grande pedra angular das liberdades religiosas neste país; mas não deixemos que abusem dessa preciosa palavra tolerância. Como este país a compreendeu, ela significava a completa liberdade de culto para todos, mas *entre cristãos com as mesmas bases de culto*. Significava tolerância a todas as seitas e denominações de *cristãos que acreditavam na mediação*". Desejo assinalar o fato de que um homem julgado digno de ocupar alto posto no governo deste país, por ocasião de um ministério liberal, defende a doutrina de que os descrentes na divindade de Cristo estão fora do campo da tolerância. Quem, depois dessa tirada imbecil, pode abandonar-se à ilusão de que as perseguições religiosas passaram para nunca mais voltar?

6. *The Sphere and Duties of Government* (traduzido do alemão), pelo Barão Guilherme de Humboldt, p. 11-13.

7. Ensaios, de Sterling.

8. Existe algo de desprezível, e também de espantoso, na espécie de prova que se tem requerido ultimamente para a declaração judicial da incapacidade de gerir os próprios negócios. A disposição de bens que, para depois da

morte, faça a pessoa objeto dessa declaração, pode ser posta de lado deste que haja o suficiente para pagar as despesas do processo – ônus que recai sobre os bens em causa. Todas as minúcias da vida quotidiana são meticulosamente investigadas, e tudo que, visto através das faculdades de percepção e descrição do mais mesquinho entre os mesquinhos, se aparente diverso do lugar-comum absoluto, é apresentado ao júri como prova de insanidade. E com frequente sucesso, uma vez que os jurados, quando não são tão vulgares e ignorantes como as testemunhas, o são pouco menos; e que os juízes, com essa extraordinária falta de conhecimento da natureza e da vida humana que nos surpreende nos legistas ingleses, muitas vezes auxiliam a obra de mal-orientar os jurados. Esses julgamentos valem por volumes que se escrevessem sobre o estado do sentimento e da opinião, no seio do vulgo, relativamente à liberdade humana. Ao contrário de atribuírem algum valor à individualidade – de respeitarem o direito de cada qual a agir, nas coisas indiferentes, como bem lhe pareça ao entendimento e à inclinação – juízes e jurados não podem conceber que alguém, em estado de sanidade, possa querer uma tal liberdade. Em dias anteriores, quando se propôs queimar os ateus, pessoas caridosas sugeriram colocá-los em hospícios, ao invés de os queimar. Não seria de surpreender viéssemos a ver isso nos nossos dias, bem como os aplausos dos autores da medida a si mesmos, por terem adotado, em lugar da perseguição por motivos religiosos, um modo tão humano e tão cristão de tratar esses infelizes. Aplausos que se somariam à muda satisfação por haverem os ateus obtido, dessa forma, o que mereciam.

9. O caso dos parses de Bombaim é um curioso exemplo deste ponto. Quando essa industriosa e audaz tribo, descendente dos adoradores do fogo persas, chegou, fugindo do país natal ante os Califas, à Índia Ocidental, os soberanos hindus consentiram em ser tolerantes para com ela, sob a condição de os seus membros não comerem carne de vaca. Quando aquelas regiões, mais tarde, caíram sob o domínio dos conquistadores maometanos, os parses obtiveram destes a continuação da tolerância, sob a condição de se absterem de carne de porco. O que, a princípio, foi obediência à autoridade, tornou-se uma segunda natureza, e os parses, hoje em dia, abstêm-se quer da carne de vaca, quer da de porco. Embora não requerida pela sua religião, a dupla abstinência teve tempo para se desenvolver em costume da tribo, e costume no Oriente é religião.

Vozes de Bolso

- *Assim falava Zaratustra* – Friedrich Nietzsche
- *O príncipe* – Nicolau Maquiavel
- *Confissões* – Santo Agostinho
- *Brasil: nunca mais* – Mitra Arquidiocesana de São Paulo
- *A arte da guerra* – Sun Tzu
- *O conceito de angústia* – Søren Aabye Kierkegaard
- *Manifesto do Partido Comunista* – Friedrich Engels e Karl Marx
- *Imitação de Cristo* – Tomás de Kempis
- *O homem à procura de si mesmo* – Rollo May
- *O existencialismo é um humanismo* – Jean-Paul Sartre
- *Além do bem e do mal* – Friedrich Nietzsche
- *O abolicionismo* – Joaquim Nabuco
- *Filoteia* – São Francisco de Sales
- *Jesus Cristo Libertador* – Leonardo Boff
- *A Cidade de Deus* – Parte I – Santo Agostinho
- *A Cidade de Deus* – Parte II – Santo Agostinho
- *O conceito de ironia constantemente referido a Sócrates* – Søren Aabye Kierkegaard
- *Tratado sobre a clemência* – Sêneca
- *O ente e a essência* – Tomás de Aquino
- *Sobre a potencialidade da alma* – De quantitate animae – Santo Agostinho
- *Sobre a vida feliz* – Santo Agostinho
- *Contra os acadêmicos* – Santo Agostinho
- *A Cidade do Sol* – Tommaso Campanella
- *Crepúsculo dos ídolos ou Como se filosofa com o martelo* – Friedrich Nietzsche
- *A essência da filosofia* – Wilhelm Dilthey
- *Elogio da loucura* – Erasmo de Roterdã
- *Linguagem corporal em 30 minutos* – Monika Matschnig
- *Utopia* – Thomas Morus
- *Do contrato social* – Jean-Jacques Rousseau
- *Discurso sobre a economia política* – Jean-Jacques Rousseau
- *Vontade de potência* – Friedrich Nietzsche
- *A genealogia da moral* – Friedrich Nietzsche
- *O banquete* – Platão
- *Os pensadores originários* – Anaximandro, Parmênides, Heráclito
- *A arte de ter razão* – Arthur Schopenhauer
- *Discurso sobre o método* – René Descartes
- *Que é isto – A filosofia?* – Martin Heidegger
- *Identidade e diferença* – Martin Heidegger
- *Sobre a mentira* – Santo Agostinho
- *Da arte da guerra* – Nicolau Maquiavel

- *Os direitos do homem* – Thomas Paine
- *Sobre a liberdade* – John Stuart Mill
- *Defensor Menor* – Marsílio de Pádua
- *Tratado sobre o regime e o governo da cidade de Florença* – J. Savonarola
- *Primeiros princípios metafísicos da Doutrina do Direito* – Immanuel Kant
- *Carta sobre a tolerância* – John Locke
- *A desobediência civil* – Henrry David Thoureau
- *A ideologia alemã* – Karl Marx e Friedrich Engels